THE INTELLIGENT READER'S GUIDE TO READING

HOW TO READ A BOOK THE RIGHT WAY FOR STRONGER COMPREHENSION AND BETTER RECALL

高效閱讀全攻略

用正確的方式閱讀，全面強化理解力與記憶力，
資訊爆炸時代必備的思維輸入輸出法

Thinknetic——著 黃庭敏——譯

目次

前言

帶著成就感，真正讀懂一本書

你知道怎麼閱讀嗎？

你可能會立即對這個問題嗤之以鼻，因為嚴格說來，你正在閱讀這本書。如果你認為這個問題與你的識字能力有關，那麼你想得也沒錯。但閱讀需要的不僅於此！這個問題有很多層面，值得寫一整本書來討論，讓我們想像以下情況：

你剛讀完一本書的最後一頁，闔上書本，一股興奮的感覺湧上心頭。你非常興奮，拿起電話打給你最好的朋友，興奮地告訴他們：「我剛剛讀完了有史以來最精彩的一本書！」你的朋友聽到你的聲音很興奮，問道：「真的嗎？內容是關於什麼？」

這時，你的笑容開始褪去，一邊結結巴巴地試圖說出讓人可以理解的句子。書中的觀點在你的腦海中浮現，你清楚記得那些讓你著迷的例子。但是，你要如何解釋這種感覺？要如何用言語表達，並讓你的朋友相信這是一本世紀之書？

你先告訴他們書中的觀點，還談到作者多麼精彩地描述了某個例子，然後你想到，為了讓他們理解這個描述多麼有力，他們需要知道鋪陳的內容。於是，你又試著用背景資訊來解釋。你突然想起一個寫得特別好的段落，是朋友一定要知道的，也許這樣他們會更容易理解。你一邊說話一邊翻著書，興奮地尋找有助於他們理解的部分，結果他們的興致漸漸消退。

「是喔，聽起來確實不錯……大概吧。」你會聽到他們意興闌珊地說。你感到失望，為什麼他們就無法理解？為什麼你不能解釋一下那本書有多好？最後你只能說：「那……你應該讀一讀，真的很精彩！」

這種情況可能比許多人願意承認的，還更常發生。或者，也許你剛讀完一本書，覺得作者還可以寫得更好，但你無法準確地說出這種感覺背後的確切原因。在某些情況下，你可能會讀到複雜的觀點或概念，並發現它非常適合拿來與同事討論，但你就是無法很好地解釋這個觀點，以至於對話無法進行下去。

你是否一直想成為了解經濟、政治、哲學和心理學的知識分子？你是否曾好奇地想閱讀，並充分理解孔子、康德或西蒙·波娃的理論？你想知道人類最偉大的思想家是如何思考和創作，並體會到書籍就是一睹這些人內心世界的窗口嗎？

閱讀不僅僅是能夠解讀紙上的文字，還超越了識字的能力。閱讀是一門藝術，我們需要不斷精進，才能發展出最大的能力，去了解世界和世上的一切。無論我們想改善自己的哪些方面，都要從大腦著手，而閱讀就是在鍛鍊大腦。我們閱讀是為了學習，為了進步，為了拓展視野，所以識字足以實現如此重大的目標嗎？

本書旨在幫助讀者超越閱讀詞彙和句子的層面，帶領讀者一步一步地閱讀一本書，幫助他們剖析、理解書中的內容，並在充分理解書中的概念和想法後，帶著成就感讀完一本書。在讀完一本書後，你應該了解其中的內容，最終對書中討論的主題有自己明確的看法。

本書旨在幫助讀者思考和探索不同的閱讀方式，而不僅僅是翻開一本書，然後從頭讀到尾。即使你不精通正在閱讀的領域，無論當中的概念有多麼艱深，你也確實具備智識能力，可以從閱讀和理解一本書的主要概念中，獲得最大的益處。你所欠缺的，只是幫助你發揮智識的工具。

這是一本循序漸進的指南，幫助你在閱讀方面做得更好。然而，如果你不採取行動，這本指南幾乎毫無用處。你是成功實現本書目標的重要環節，你對書中資訊的處理方式與書中包含的觀點一樣重要。因此，書中提供大量的「閱讀素養實戰訓練」，幫助你應用關鍵概念，這些概念會隨著你一章接著一章讀，而累積起來。閱讀是一種腦力鍛鍊，如果讀者在閱讀本書時不採取行動，沒有付出必要的腦力，那麼讀這本書也不會有太大的用處。

本書由熱愛閱讀的人所撰寫，他們一直努力讀得更好，並把讀過的好書，發揮到極致。我們只希望你在閱讀本書時感到愉快，就像我們在寫作時感到愉悅一樣。如果你準備好，要從閱讀中，獲取最大效益，本書是很好的起點。那麼我們再問一次，你想知道如何閱讀嗎？請繼續讀下去吧。

維達・納吉・科德爾（Wedad Naji Khoder）
作家，Thinknetic團隊成員

第 1 章

網路上什麼資訊都有，何必花時間閱讀？

如果想充分利用網路這樣強大的工具，

首先需要退後一步，學會沉思。

透過閱讀，我們可以訓練大腦做到這種思考程度。

究竟，為什麼要閱讀？

瑪麗在打掃房間時，看到十二歲的兒子坐在沙發上用iPad玩遊戲。她一直希望兒子做一些更有意義的事情，於是嘆了口氣說：

「約翰，放下那台iPad，去拿本書來讀。」

「可是，現在是暑假！我真不敢相信，都不用上學了，幹麼還要看書？」約翰抱怨道。

「呃，看書很有趣。再說，對你也有好處。」

「哪有？我在學校已經讀夠了。為什麼我要看書？」

「嗯……因為……對你有好處！」這位母親猶豫地重複說道，她試著想出更有說服力的答案。

「是嗎，為什麼？妳老是說對我有好處，怎樣對我有好處？」

「這個嘛……你可以獲得iPad絕對沒有的知識！」她肯定地回答。

「但是媽媽，我可以透過iPad上網，學任何我想學的東西。我為什麼要看書？」他酸溜溜地回答。

瑪麗知道她的兒子不想拿起書來看，所以試著要辯過她。她不知道怎樣讓他相信，閱讀比上網有用得多。她知道看書是件好事，但她開始思考他的問題，他為什麼要看書？這對他有什麼好處？在斟酌了一番後，她生氣地回答道：

「好吧，隨你便。但你要知道，這是你的損失！」她憤憤不平地去做家事，繼續想著他的問題。

也許，就像約翰和瑪麗一樣，很多人都想知道，為什麼閱讀如此重要。我們可能也想知道，閱讀是否真的有必要。既然你已經拿起一本書來讀，還是一本關於閱讀的書，那麼你很可能和瑪麗一樣，認為閱讀很重要。但如果你試著解釋為什麼閱讀很重要，你或許也會感到茫然。

資訊爆炸時代，聰明讀者必備的閱讀指南

我們的時代被稱為資訊時代，網路改變了日常生活的各個方面，也改變了人們接收資訊和互動的方式，並創造了全新的日常習慣。瑪麗和約翰之間的觀點差異在每個家庭中都可以看到，這種差異體現在生活的各個方面，而不僅僅在閱讀上。很難想像，在歷史上是否曾有過這樣一個時期，社會上老少之間存在如此巨大的鴻溝。[1]

像瑪麗這樣的母親，試圖與十二歲的孩子爭論「閱讀的重要性」這類問題時，不同觀念之間的鴻溝就會顯現出來。事實上，約翰說得確實有道理。為什麼要透過閱讀來獲取知識？現在有了網路，靠著口袋裡的那個小玩意兒，我們擁有了所有可能需要知道的資訊。那為什麼還要花時間看書？另外，仔細想想，如果我拿起一本小說來讀，我能獲得什麼資訊？相比之下，我可以上網，在幾分鐘內就獲得更多的資訊。

在這裡，我們必須區分兩種思考過程，它們是這場辯論的核心：分析

性思考和沉思性思考。分析性思考是目標導向和工具性的。在分析性思考中，我們尋求的資訊是解釋某事的手段和基礎。毫無疑問的，可以對資料進行匯集和分類的網路，是實現這個目標的強大工具。

另一方面，沉思性思考本質上是從經驗出發和非工具性的。沉思的最終目標是反思，它是摸索和改善我們與世界關係的一種手段。當我們沉思時，追求的是獲得啟發和新見解的滿足感。在沉思中獲得資訊只是脈絡過程，而非最終目標。當你花時間閱讀一本書時，你會思考書中的內容，獲得見解，然後更了解這個世界，資訊則恰好伴隨著經驗而來。

分析和沉思是兩種截然不同的思維方式。同樣的，網路和書籍各自有不同的使用方式，所以網路和書籍也體現了相反的情況。[2]當然，網路可以用來獲得見解，並深入思考某個觀點或概念。同樣的，書籍也可能被誤用、誤讀或僅僅為了獲得資訊而略讀。這就是為什麼本書的主要目的，不僅是讓我們明白為什麼要閱讀，而且要透過閱讀來進一步加深理解，並重新學習如何讓閱讀能力變得更好。

早在二〇一〇年，皮尤研究中心對數百名著名思想家進行了一項調查，其中近八成的人認為，由於網路的發展，讓資訊取得變得極度容易，到二〇二〇年，人類智慧將會提升。時間快轉到今天，可以看出我們並沒有變得更聰明，也沒有做出更好的選擇。[3]所以，到底怎麼了？最重要的是，閱讀如何幫助我們提升智力？

當數位科技改變我們的大腦，如何做出更好的選擇？

首先，讓我們來檢視什麼是人類智力，並嘗試理解現在所能獲得的大量資訊，為何沒有讓人更聰明。根據定義，人類智力指推理、解決問題和學習的心智能力。它綜合了多種認知功能，包括我們的感知、記憶、注意力和語言。[4]顯然，要進一步提高人類的智力，就必須改善這些認知功能，或至少改善其中一項功能。

那麼，在幾乎大多數人都可以上網的這十年裡，發生了什麼事？在過去的十年中，有許多關於網路負面影響的研究。首先，使用網路實際上削弱了人們的短期記憶，因為大腦學到「我們不需要記住任何東西」。我們可以隨時取得資訊，並用Google搜尋任何想要知道的內容，因此我們不需要記住東西，這種現象稱為「Google效應」（Google Effect）。[5]

此外，網路濃縮了大量資訊和刺激，催生了「草率的閱讀、匆忙分心的思緒、膚淺的學習」。[6]因此嚴格來說，隨著人們廣泛使用網路，我們有很多認知功能正在退步。然而，不能忽視網路的重要性，因為它確實包含了人類已知的一切，我們也不能忽略它在日常生活中的必要性。那麼如何做出更好的選擇，並最終提高人類智力，以抵銷這種對認知的不良影響？

想要進步？善用科技？先閱讀再說吧

幾個世紀以來，只要有文字存在，閱讀就幫助我們將資訊代代相傳。如果沒有閱讀，科學、醫學等各種領域幾乎不可能有任何進展。

透過閱讀前人的發現，我們可以不斷進步。當有人把自己的發現寫下來，讓其他人能讀到，別人就可以對內容進行補充，如此周而復始，直至今日。透過閱讀，人類得以不斷進步。

前文已經提到過兩種不同的思考方式。無論是誰在哪個領域為人類的進步做出了貢獻，他們都肯定具有分析性思考。因為他們看到了問題，並努力解決問題。然而，沒有所謂的新知識。不管是誰，提出的東西至少在一定程度上是根據先前的知識。這就是為什麼任何公認值得信賴的研究，都會從文獻探討的部分著手。因為回顧過去人們試圖解決相關問題的文獻，是所有研究的基礎和新想法的支柱。[7]

因此，人類的演變需要、並且現在仍然需要會閱讀的分析性思考者。

因此嚴格來說，沉思性思考是分析性思考的先決條件。網路為人們提供了分析性思考的方式，但如果想充分利用網路這樣強大的工具，首先需要退後一步，學會沉思。透過閱讀，我們可以訓練大腦做到這種思考程度。

思考、權衡、形成看法，這才是閱讀的意義

沒有人一出生對事情就有看法，但隨著成長，大家開始有了自己的觀點和想法。當我們變得更加了解周圍的世界時，就開始更了解自身興趣，並有了個人看法。這就是人能夠做出選擇和決定的原因，這也是真正需要分析性思考的原因。但我們是如何對事情做出判斷？一開始又是如何形成自己的看法？

這就是閱讀的意義所在。那為什麼要閱讀？閱讀，是為了提升自己的能力，鞏固我們所發現的個人興趣。閱讀，也是為了對人生經驗和思想進行「回顧與探討」。另一方面，人是群體動物，所以會解讀他人的想法和

經驗、他人的發現，以及他人得出的結論，從而形成自己的觀點。就像哲學家培根曾寫道，閱讀是為了「思考和權衡」。[8]

為了思考和權衡所閱讀的內容，需要用沉思的方式閱讀。如此才能真正吸收和理解資訊（而不僅僅是取得資訊），最終形成自己的看法。而這正是分析性思考的起點，用獲得的資訊作為解決問題的手段。

再想想人類智力的認知功能，就會發現這一切都可以透過閱讀輕鬆提升。首先，我們的語言能力肯定會隨著閱讀量增加而提高。在用沉思的方式閱讀時，注意力和集中力會增加，因此有助於記憶功能。最後，同樣重要的是，當我們思考、考慮和沉思新的想法時，整體知覺能力會發生變化並得到提升。

五大原則，有效評估內容是否值得閱讀

網路上有很多東西是沒有用的，就像很多書實際上並不值得閱讀一

樣。為了讀得更好，我們需要的另一項技能是批判性思考，這可以幫助我們選擇閱讀的內容。美國哲學學會（American Philosophical Association）一致認為「理想的批判性思考者」是：[9]

- 天生好奇。
- 消息靈通。
- 相信理性。
- 心胸開放。
- 靈活。
- 公正評估。
- 誠實面對個人偏見。
- 謹慎判斷。
- 願意重新考慮。
- 明確了解問題。

- 有條不紊地處理複雜的事情。
- 勤於尋找相關資訊。
- 合理地選擇評判標準。
- 專注於探究。
- 堅持不懈地尋求結果。

對於渴望提升閱讀能力、做出更明智的決策，並增強智力的人來說，達成清單上的每個特質是必要的。生活中的各個方面都需要批判性思考，而不光是在閱讀上需要而已，它幫助我們在個人和職業生活中，做出更好的選擇。

但是該如何使用清單中的特質，來做出更好的選擇？無論是讀網路上的資訊，還是閱讀書架上的讀物，要如何更好地選擇閱讀的內容？如果知識只是一組資訊，那麼我們可以直接相信所讀到的內容。但事實上，要掌握知識，還需要對資訊進行解讀。

批判型讀者很少質疑事實，而是通過事實的陳述方式，來評估文章內容的品質。他們會解讀內容是否有足夠的證據，來支持所提出的主張，是否有其他沒有顧及到的可能解釋，以及作者是否考慮到了自己的解釋在其他情況的適用性。[10]

為了更好地選擇閱讀的內容，我們應該考慮以下五個批判性思考的原則：[11]

- 當事人或消息來源的可信度。
- 提出主張的情況或背景。
- 支持該主張的理由。
- 主張本身的性質。
- 其他來源的佐證。

每當遇到某樣東西，不論是一本書還是一篇文章，我們通常根據自己的喜好來決定是否喜歡它，這完全合理。但還需要考慮這五個原則，並先對內容是否值得花時間閱讀，做出批判性判斷。

閱讀素養實戰訓練

請參考批判性閱讀的五個原則，並閱讀下面兩篇文章，嘗試做出批判性選擇，看看哪一篇對你更有益處。這兩篇文章都涉及相似的主題。

文章一：

彭博市長中了大獎：紐約市學生不會讀寫或算術[12]

二〇一三年三月十三日星期三，作者：強恩・拉波波特（Jon Rappoport）

這是為麥當勞提供更多員工的策略嗎？

彭博市長這麼專注於紐約市的社會工程，似乎在他的議程中添加了一個堅決要做的項目。

因為進入紐約市社區大學體系的高中畢業生中，令人震驚的竟有八〇%的人表現不佳，無法選修大學課程。

他們在閱讀、寫作和數學等各方面的成績都不理想。

彭博市長甚至沒有表態要對這個可怕的情況進行調查，也沒有任何關於解僱教師或校長的消息。

為什麼沒有？因為調查的結果將對學校體制和市長，造成災難性的影響，學生在沒有學到應該學會的東西的情況下，就可以升到下一個年級，學生是用欺騙的方式來「獲取」高中文憑。

如果對這種虛假教育的運作方式進行詳細調查，就會發現各種令人厭惡的事實。比方說，許多老師是否更改學生的考試成績，讓成績比較好看？老師是否採用了荒謬的調整分數方式，以至於不及格者也可以有好成績？校長是否假裝不知道發生了什麼事？他們是否積極幫助老師大肆舞弊？

如果真相大白，政府可能會削減紐約市公立學校的經費，聯邦政府甚至會來調查舞弊的嚴重程度。一旦調查人員與老師們開會討論，向他們提出嚴肅的問題，肯定會揭開醜聞，勁爆的消息會遠近皆知。

這些都未能反映學生從小學到高中時期的感受，他們雖然持續升到下一個年級，卻對課堂上的內容感到迷茫。這根本從頭到尾都在做樣子，宛如置身弔詭與離奇中。

忘掉荒謬的「自我價值感」論點吧。在學生能力不相稱的情況下，就強迫他們升到下一個年級，孩子自己也明白這是一種欺騙。他們知道自己的「成就」是建立在沙地之上，也知道這一切都是在玩弄體制。

「當然，我對自己感覺好多了，因為我的老師作弊，打了一個我沒有達到的成績給我。」

多年來，我在聖塔莫尼卡學院（Santa Monica College）擔任輔導員，很多學生因為中小學的學習基礎不夠紮實，前來尋求協助。情況真是一團糟。

在進入大專院校時，偽裝的日子就結束了。我有些學生幾乎沒有小六學生的程度。解方是什麼？難道要讓孩子在一個月內完成六年的閱讀分量？你在開玩笑吧？如果你覺得這很糟糕，請嘗試以同樣快的速度提高學生的寫作水準，徒手把一輛大卡車從海平面推到山頂可能還更容易些。

紐約市社區大學的發言人，說得好像他們正沉著地處理這些不及格學生的補救訓練。我可以告訴你，這個壓力龐大，而且在很多情況下根本沒有用。

你不只是提醒學生他們曾經學過、但後來忘記的東西，也在給他們以前從未得到過的東西。而你也試圖突破強大的阻力，因為孩子不想承認他們會的東西太少，還有他們感覺到學習的鴻溝有多麼寬廣。可以理解的是，他們想站穩腳跟，但根本沒有紮實的基礎。

他們從來沒有學會如何閱讀、寫作和算數，從來沒有！你試著告訴他們：「孩子，是這樣的，你必須回去學六年級的課程。」現在，十八歲的他們，要想像自己與十一歲和十二歲的孩子一起坐在小桌子旁。

當然，政府官僚解決這些問題的辦法就是砸更多的錢——數十億的美元。他們還為新的計畫取了花俏的名字——《不讓任何孩子落後》法案（No Child Left Behind Act），讓大家有平等機會，他們假裝發現了表面的解決辦法。

「哦，你知道嗎，孩子遇到困難的真正原因是他們沒有電腦，所以要花錢買電腦。」這就像醫生告訴病人：「你的手臂有問題，所以我要給你配一副眼鏡，這樣你終於可以看到電視上的東西了。」

在損害造成後，有大量的孩子從高中畢業後幾乎無法閱讀，要建立真正有效的補救計畫是相當大的挑戰。你需要大量的人力，而且必須是優秀的人員，他們一定要了解自己在做的事情。你得回歸基本面上，不靠花俏的援助計畫和設備。這需要的是一對一的密集輔導，必須長期投入。在那些失敗的學校裡，老師說好聽點就是不用心，說難聽點就是作弊的人，所以你不能重蹈覆轍了。你不能為了顧及自己的面子，而跳過困難的部分，你不能再害孩子了。

不過，你不能假設孩子從沒有促成自己的失敗。他們也是共犯，並涉入其中，在這個騙局中扮演了自己的角色。這個問題必須克服，因為許多孩子會在重複的教育中試著混水摸魚。

他們滿懷希望，希望能做做樣子、完成教育計畫，這是他們最擅長的事情。

彭博市長人在高位，可以透過發布聲明，來解決諸如汽水、糖、咖啡和槍支等問題。但在教育方面，他卻要對抗（也可能忽略了）一隻真正的老虎。

他很可能會像老師、校長和學生一直在作弊那樣搞騙術，他也會輕鬆了事的。當他的市長任期結束時，他將留下一份充滿推銷員誇大之詞的最後聲明，然後平和地卸任。但會打開籠子，然後老虎出來。

文章二：

紐約市努力改善學生的社會情緒學習（Social Emotional Learning）[13]

二〇一八年三月十九日，作者：城市教育貢獻者（Urban Education Contributor）

近年來，教育工作者、研究人員和政策制定者，更加重視衡量和培養學生傳統學術技能以外的能力。有證據顯示，社會情緒學習對於學生的成功至關重要。這包括一些心態、態度和技能，使年輕人能夠建立積極的人際關係、管理情緒、設定和追求目標，以及克服障礙。

二〇一五年，學生成功網路（Student Success Network）向紐約市學校研究聯盟（Research Alliance for NYC Schools）尋求協助，以制定衡量社會情緒學習成果的策略。學生成功網路是由紐約市約五十個青年發展和教育組織組成的團體，他們共同努力衡量和提高學生的社會情緒學習技能。學生成功網路的成員組織為全市超過十五萬名中學生和高中生提供服務，提供多樣化的計畫。他們採取學生調查的方式，來衡量八個具體的社會情緒學習因素，包含：成長心態、學習自我效能、人際溝通能力、自主學習、爭取社會資源、自我倡導、解決問題和歸屬感。

紐約市學校研究聯盟和學生成功網路之間，已經發展成牢固的合作關係，不僅注重建立更有效、更可靠的社會情緒學習測量方法，還幫助成員組織利用調查獲得的資訊，來持續改進相關措施。

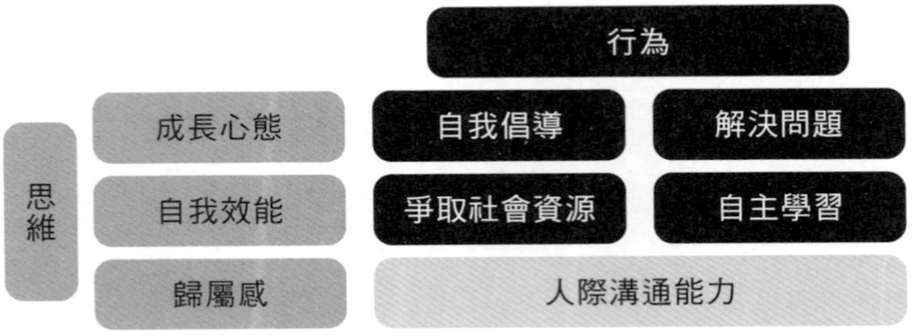

圖表由學生成功網路提供。

合作內容

在我們合作之前，學生成功網路已經確定了他們想要衡量的社會情緒學習能力，並設計了自己的學生調查問卷，該問卷每年對團體裡各個所在地的學生，進行兩次調查（一次在秋季，一次在春季）。而開始合作後，研究團隊意識到，學生成功網路並沒有追蹤調查的回覆率，因此很難判斷所獲資料的品質。研究聯盟和學生成功網路的員工共同開發了一個追蹤回覆率的系統，並發現回覆率在最初相當低。學生成功網路的領袖和成員組織隨後努力實施策略，鼓勵更多學生完成調查。從那時起，回覆率穩定提高，這是一項重要的變化，有助於確保調查更能代表團體的所在地、活動計畫和學生。

「麗莎·梅若（Lisa Merrill，研究聯盟研究員）鼓勵從業人員思考他們所收集資料的品質，並在我們大力追蹤回覆率方面，發揮了重要作用。」學生成功網路資料策略總監艾力克斯·樂泰若（Alex Lotero）說，「（例如），在聽取了收集家長主動同意書的困難後，她向紐約市教育局提交了一份倫理審查委員會協議的修正案，允許我們的成員組織使用被動同意書。」

研究聯盟和學生成功網路也共同合作，改進特定的調查評量方式，並開發方法，利用調查資料來辨識有前景的計畫策略，這涉及到對相稱的計畫地點（具有高回覆率）建立群組。然後，我們利用秋季和春季的調查結果來確定計畫地點——「亮點」，這些地點的學生在社會情緒學習方面的成長，要高於群組中的其他學生。這種方法使我們能夠進行同類比較，並找出優於其他類似計畫的地點。（考慮到學生成功網路中計畫和學生群體的多樣性，僅僅查看春季得分最高或增長最快的地點，這樣的做法會有問題。）

學生成功網路使用分析中的資訊與其成員進行對話，討論哪些做法，可能導致「亮點」所在地學生的社會情緒學習技能顯著提升。學生成功網路和研究聯盟計畫測試其中一些理論，並在未來的工作中找出新的潛在「亮點」。事實上，從我們收集的資料中可以學到很多東西，其中包括學生學業進展（例如，成績、出席率、考試成績、學分累積），以及他們的社會情緒學習成果等大量資訊。

實務發展與影響

雖然我們仍在繼續合作，但迄今為止，我們的努力已促成更強而有力的調查方式，並帶來了更高品質的資料。更重要的是，它促進了學生成功網路成員組織內部的變革。這種以研究為基礎的持續改進方法，為整個城市的成員組織提供了支援，幫助他們確定並實施有效的方法，來提高學生的社會情緒學習技能。

參與這項工作的從業人員和研究員都很坦率、平易近人、謙虛、充滿好奇心。我們一致認為，這些都是讓研究與實務合作關係可以蓬勃發展的基本要素。

「研究人員專注於評量的設計、資料的品質，以及對發現或結果進行嚴格分析和審查。」樂泰若說，「從業人員帶來了實際情況、做法上出現的問題等資訊，以及對學生需求的深入了解（儘管有時是傳聞）。在穩健的合作關係下，我們可以利用資料來改善做法和學生體驗、記錄學習內容、為做法建立證據基礎，以及使用以研究為基礎的工具和嚴格的分析，來收集高品質的資料。」

學生成功網路致力於將研究整合到整個持續的改進過程中，這使得研究聯盟能夠更了解如何衡量和改進社會情緒學習技能，並與能夠在其成員組織內直接和持續應用研究成果的從業者合作。我們認為，這種合作關係，有望更好地服務參與學生成功網路會員計畫的數萬名學生。

閱讀完以上兩篇文章後，請嘗試回答以下問題：

一、哪篇文章值得你花時間閱讀，為什麼？

二、你是怎麼得出這個結論的？

三、找出你認為，其中一篇文章沒有說服你的地方。
四、在這兩篇文章中，你認為有哪些資訊是可信的？為什麼？

本章小結

許多人都和瑪麗一樣，相信「閱讀仍然很重要」。然而，首先需要明白，在數位世界裡，為什麼閱讀如此重要。閱讀可以幫助我們以不同的方式思考，一旦能用沉思的方式去閱讀並理解內容，我們會獲得見解，了解更多，最終提升智力。

網路提供了隨時獲得資訊的途徑，這是前所未有的情況，但卻無助於提高我們的智力。這是因為獲取知識，重點不在於獲得資訊，而是要能夠過濾資訊，在資訊所呈現的脈絡下深思熟慮，並在對所看到和讀到的一切東西信以為真之前，進行批判性思考。

儘管已經知道為什麼閱讀在數位世界中是必要的，以及在做出選擇時進行批判性思考的重要性，但仍然還是有許多問題。比方說，怎樣才能進行沉思式閱讀？如何才能讀得更好，最終提高人類智力？這就是本書的主題：學會讀得更好、更有辦法理解，並更能思考讀到的內容。

關鍵要點

- 有兩種思考方式：分析性思考和沉思性思考。
- 分析性思考具有工具性和目標導向性。其中，資訊是得出解釋的手段。
- 沉思性思考是非工具性和經驗性的，最終目標是反思。在這種情況下，沒有脈絡的資訊是沒有價值的。
- 批判性思考是人類做出更好選擇的關鍵特質。我們在選擇閱讀內容時，需要保持審慎。
- 獲取知識不僅是取得資訊，還要對資訊進行批判性評估。

第 2 章

你不是太笨，只是用錯了閱讀方式

身為讀者，我們的目標是在閱讀中變得更加主動。
將你所讀到的內容與你先前的知識連繫起來，
並提出更多的問題，這就是主動閱讀的意義所在。

明明都花時間閱讀了，為何還是無法吸收重點？

萊恩是一名應屆畢業生，他期待著展開自己的職業生涯。他正在申請實習機會，暫時在咖啡店工作以維持生計。隨著這個世界愈來愈依賴網路，他認為學習網路行銷至關重要。

因此，他購買了幾本相關書籍，並嘗試更深入地研究網路行銷的工具、方法和策略。他每天晚上都會拿起一本書來讀個幾頁，他看得懂自己正在閱讀的內容，上床睡覺時感覺自己對網路行銷有了更多的了解。

第二天早上，當他上班時，他試著回想讀過的內容，但一切都顯得模糊不清。「現在讓我專心工作吧，周圍有太多讓我分心的事情。」他這樣想著，然後繼續一天的工作。

那天晚上晚些時候，他與朋友見面，興奮地告訴他們，他正在學習網路行銷，這是當今商業世界急需的技能。他試圖進一步闡述學到的東西，勉強要擠出一句深入淺出的解釋，卻結結巴巴地說不出話來。於是他只好放棄，無奈地轉移了話題。回到家後，他感到很沮喪，認為自己需要多專注，讀更多的書，希望能夠掌握這個主題。

問題不在於智商、理解能力，而是閱讀方式！

萊恩所經歷的事情對讀者來說並不少見，他的興奮感促使他以最快的速度翻閱書本，並盡快獲得其中的知識。這是所有興奮的求知者身上常見的缺點，常常使他們無法像最初想的那樣，掌握新資訊。

這是因為，閱讀不僅僅是把文字讀過一遍，也不只是理解文字各別的意思。當你讀這句話的時候，你可以像識字的成年人一樣，理解每一個字。但閱讀一個段落、一個章節或一整本的書，需要的不僅僅是理解文字。

有時你會發現自己反覆閱讀某個段落或章節，但無法真正掌握其中的精髓。這是因為你是在被動地閱讀，就像萊恩一樣，他的興奮感驅使他想要精通新的領域。因此，他翻看了幾頁的文字，就期望自己完全掌握所有資訊。可惜，他無法掌握書中的內容，但這與他的智商或理解能力無關，反而是與他的閱讀方式有很大的關係。

二〇〇一年，哈佛大學教育心理學家威廉．佩里博士（Dr. William Perry）進行了一項實驗，研究他所謂閱讀時的「順從的無目的性」（obedient purposelessness）。他指定學生閱讀書中的某個章節，並告訴他們需要在二十分鐘左右，就所學到的內容寫一篇文章。結果，一千五百名學生中，只有十五人能夠就那一章的要旨，寫出簡短的陳述。[1]人們被動閱讀的習慣，源自於我們過去總是為了順利升學而閱讀，這導致我們很難理解和記住內容。[2]

你是不是也在「被動閱讀」？

首先，來說明一下術語。實際上，要成為完全「被動」的讀者是不可能的，因為人不可能在眼睛不動、頭腦不清醒的情況下閱讀。[3] 但大多數讀者之所以算是「被動」的，是學生時代養成的習慣。我們都傾向於略讀文章，為了即將到來的考試可以及格，獲得最少所需的資訊即可。[4]

帶著問題去閱讀，這跟只是為了讀完手上的書而閱讀，兩者之間有很大的區別。讓我們先找出被動閱讀的特徵，其中包括：[5]

- **「順從的無目的性」**：沒有特定目的地閱讀一本書，這不僅是低效的閱讀習慣，而且往往會讓閱讀變得枯燥乏味。
- **不加批判的閱讀**：閱讀時不會存疑，盲目地將作者視為權威。
- **「讀完」的心態**：手上有一本書，從頭到尾讀完，就會有成就感。
- **不投入的閱讀**：閱讀時不評估文章的優缺點。
- **不太理解**：讀了字詞、句子和章節，但把書讀完後，還是對重點不太理解、或幾乎不理解。
- **淺薄的印象**：讀完後你可能對書的內容有大致的印象，但對主題的理解並不深刻。

問問自己，這五個問題

當你閱讀本書，並已讀完前言和第一章時，請問自己以下的問題：

- 我開始閱讀時，是否有特定的目的？
- 我是抱著「只要看完這本書的心態」開始閱讀的嗎？
- 我是否對書中的內容感興趣？
- 對於到目前為止討論的主旨，我有什麼要說的？
- 在閱讀時，我是否有特定的問題？我是在尋找答案嗎？

在討論主動讀者和被動讀者之間的區別時，我們需要意識到，閱讀可以「不那麼主動或更加主動」，而身為讀者，我們的目標是在閱讀中變得更加主動。[6]話說回來，學習成為主動的讀者並不是非此即彼的問題，而是一個過程。我們必須經歷這個過程，才能在閱讀時變得更加主動。

每一個讀者，都要練習的事

二〇一〇年有一項案例研究，突顯五名大學生在實施「後設認知閱讀策略」（metacognitive reading strategy）後的效果。這些策略源自於一九八〇年代的一項研究，最初專門針對小學生，指導的策略包括：將個人的背景知識與文章連結、從文章中得出結論、能夠總結文章，以及確定文章的重要性。[7]

運用這些簡單的策略可以幫助大學生，從解讀紙上的文字，轉變為批判性的讀者，並將他們的想法和觀點融入到所讀的內容中。因此，他們從被動的讀者轉變為更加主動的讀者。如果你回顧研究中使用的不同策略，會發現這些策略可以濃縮成以下幾個簡單的問題。而這些問題，也是在閱讀的過程中你可以去思考的：

- 對於這個主題我已經知道哪些部分？
- 這本書為我增添了哪些知識？
- 這本書的重點是什麼？
- 讀完這本書後，我學到了什麼？

做對了，閱讀就會變得更主動

主動閱讀有幾個不同的特點，其中包括：[8]

- **帶著問題去閱讀**：只有先提出問題，你才能在閱讀的內容中找到答案。

- **質疑作者**：花時間寫書的作者必須受到尊重，但不應該把對方當成是絕對的真理。
- **智力上的投入**：如果你對所讀的內容不感興趣，沒有全神貫注，就好像只是在隨意瀏覽詞彙和句子。
- **進行批判性閱讀**：預測接下來會看到的內容，並將你所知道的與作者所說的話進行比較。試著與作者對話，並提出自己的論點。
- **得出結論**：當你能得出結論時，你就對主題有了更深入的理解。

每位作者都有話要說，這就是他們寫作的初衷。讀者是書中內容的接收者，但接收者能否理解作者所說的內容，取決於他們在閱讀過程中所付出的努力，以及閱讀時所使用的不同心智技能。[9]

重新學習，成為主動的讀者

二〇一〇年的案例研究認為，大學生迫切需要重新學習閱讀的方法。我們從學校和大學畢業後步入成年，「學習如何學習」的能力照理主要都來自於校園。然而，我們最終進入了工作環境，卻沒有掌握繼續學習所需的工具。因此，必須透過閱讀，來補充知識。

學生在學會應用不同的後設認知閱讀策略後，他們的閱讀方式發生了變化。一名學生指出，他不再**光是**閱讀，而是主動思考正在閱讀的內容，並最終理解內容。[10]

閱讀素養實戰訓練

讓我們瀏覽一篇簡單的文章，來逐步練習如何運用主動閱讀的技巧。這篇文章的標題為「為什麼安慰劑有效，即使你知道它是假的」。在閱讀文章之前，請嘗試就標題提出幾個問題，並將這些問題與你的背景知識連結起來。

你可能會開始思考，你對於安慰劑有多少理解；你或許想不透，如果有人知道服用的是安慰劑，怎麼還會有效。你會想像測試的方式，或這篇文章可能是誰寫的。光是閱讀標題，你的腦海中也許會浮現許多想法。請注意這些想法，並大聲說出來。

文章的副標題是：「即使告訴患者，他們服用的藥物缺乏具有醫療效果的活性成分，安慰劑仍可以緩解疼痛，並帶來其他好處。」讀完副標題後，你還有其他問題嗎？

現在，你對文章的內容有了大致的了解，你能預測文章可能的內容嗎？

主動閱讀的一個非常重要的方面，是不時地停下來回想你的問題。其中的問題有得到答案了嗎？你還有其他問題嗎？因此，在你習慣帶著問題閱讀之前，不妨試著把你的問題記錄下來。

閱讀全文時，嘗試在每段之後停頓一下。將你所讀到的內容與你先前的知識連繫起來，並提出更多的問題，這就是主動閱讀的意義所在。用主動的方式閱讀「為什麼安慰劑有效，即使你知道它是假的」[11]這篇文章。

為什麼安慰劑有效，即使你知道它是假的

即使告訴患者，他們服用的藥物缺乏具有醫療效果的活性成分，安慰劑仍可以緩解疼痛，並帶來其他好處。

二〇二二年六月二十四日，作者：梅若・戴維斯・蘭道（Meryl Davids Landau）

去年六月，貝蒂・德金（Betty Durkin）踏上自家的露臺，因踩到鬆動的木板而滑倒，重重地摔在地上。她摔斷了脖子，手腕和膝蓋嚴重擦傷，頸椎頂部受傷，臉上也被木頭碎片刺入，疼痛頓時讓她難以忍受。

這位來自麻州馬里恩市（Marion）的七十三歲安全審查員在醫院住了幾天後，被轉送到波士頓的斯波丁康復醫院（Spaulding Rehabilitation Hospital）。由於她仍然感到劇烈疼痛，醫院給她開了全日藥效的類鴉片止痛藥處方。這讓她很擔心，因為她的一位好友曾因兩次住院後，對這些止痛藥上癮。「我知道類鴉片止痛藥對人的影響，我

絕對不想陷入那樣的情況。」德金說。

因此，當德金在住院期間，得知醫院正在進行一項特別的臨床試驗時，她非常高興。醫生告訴她，他們將測試她在服用含有大豆油、而非藥物成分的安慰劑後，疼痛是否會改善。

在過去的十多年裡，科學家發表了多項研究，試驗「誠實或開放標示安慰劑」（honest or open-label placebo）的效果。受試者被提前告知，他們正在服用的藥丸或膠囊，不含有具醫療效果的活性成分。在德金的案例中，她不僅被告知，而且藥罐瓶身也清楚地標示為「開放標示安慰劑」。科學家曾經認為，要使安慰劑有效，患者需要相信他們服用的是真正的藥物，因此這些誠實的安慰劑應該無法減輕疼痛、疲勞、偏頭痛或其他症狀。

但在很多病例中，誠實的安慰劑確實起到了作用。

在為期三天的試驗中，德金被要求先聞一點荳蔻香料的味道，然後在服用類鴉片止痛藥之前，吞下安慰劑膠囊。這樣做的目標是訓練大腦，將服用安慰劑的體驗與類鴉片止痛藥的鎮痛效果連繫起來。在試驗三天後，她只聞了香料味道並服用了安慰劑膠囊，但並沒有服用類鴉片止痛藥。她也得到告知，如果需要，可以隨時要求服用止痛藥，但她從未這樣做。

「我沒想到它會有效。我知道那是假藥，並非真正有效。」德金說，「但不知怎麼的，我的大腦分辨不出其中的差別。」

迄今為止，大多數針對開放標示安慰劑的試驗規模都很小，但結果已經開始累積起來。《科學報告》（*Scientific Reports*）去年發表的一項系統性回顧，評估了十三項涵蓋近八百名參與者的研究。結論顯示，開放標示安慰劑具有顯著的正面作用。不過，審稿人提醒，在任何領域的早期研究階段，正面結果的研究比那些不支持該技術的研究更有可能發表。儘管如此，這種意想不到的效果，仍然引起了許多醫學專家的興趣。

泰德．卡普丘克（Ted Kaptchuk）是波士頓貝斯以色列女執事醫療中心（Beth Israel Deaconess Medical Center）安慰劑研究和治療接觸計畫主任，也是這項研究的先驅，他說「這是一種矛盾的干預措施。」他表示，雖然從表面上看並不合理，但這可能是因為科學家並不完全了解安慰劑如何發揮作用。

安慰劑不僅僅是一顆藥丸

數個世紀以來，醫生和其他治療者一直在使用非積極治療。早在一七〇〇年代，英國醫生威廉・卡倫（William Cullen）就寫道，他曾對患者進行過一種他自己持懷疑態度的治療：「我承認我對這個治療沒有太多信心，但我還是開了這種藥。因為給藥是必要的，我稱之為安慰劑。」

一九六〇年代，美國國會通過修正案，授權美國食品藥物管理局（U.S. Food and Drug Administration）要求製藥公司證明，新藥不僅安全而且有效。自此之後，安慰劑在臨床試驗中的使用才真正興起。在修正案通過五十周年之際，科學家在《新英格蘭醫學雜誌》（*New England Journal of Medicine*）上指出，將藥物與無害的安慰劑進行比較的臨床試驗，已成為公認的方法。

在傳統的臨床試驗中，參與者一直都不知道自己服用的是藥物，還是安慰劑。評估試驗資料的科學家也不會知情，這樣做是為了確保試驗結果更具直接可比性，並減少偏差的可能性。

多年來，許多受試者在不知情的情況下服用了安慰劑，但他們的病情都得到了改善，這就是醫生所說的安慰劑效應。根據《神經免疫調節》（*Neuroimmunomodulation*）期刊上的一篇評論，如果患者僅僅相信自己已經服用了活性藥物，那麼大腦可能會釋放化學物質，包括已知可以減輕疼痛和改善情緒的腦內啡，從而促進療癒。有些批評者懷疑這種效果的真實性，他們將安慰劑組的任何改善，歸因於症狀的波動、疾病的不穩定性，甚至是受試者的心理效應。

無論如何，安慰劑一直被認為是臨床試驗的必要組成部分。但卡普丘克在研究生涯早期進行標準臨床試驗時，卻對「患者被蒙在鼓裡」感到困擾。

他說：「安慰劑中有欺騙的部分。」二〇一〇年，他決定首次測試開放標示安慰劑的概念。「我所有的同事都說這是愚蠢的想法。但這是一種刻意的努力，目的是讓安慰劑擺脫欺騙的陰影。」

卡普丘克和他的同事，將八十名腸躁症患者納入隨機臨床試驗中。其中一半的人每天服用兩次安慰劑膠囊，其他人則沒有接受任何治療。研究人員小心翼翼地向安慰劑組解釋說，這些膠囊中不含任何藥物。研究人員還告訴他們，臨床試驗顯示，安慰劑可能會誘發自我療癒過程。

三週後，研究人員評估了患者的症狀嚴重程度。卡普丘克的團隊發表了一份報告，顯示安慰劑組的症狀明顯好轉，這項發現為後續研究打開了大門。

斯波丁康復醫院的醫生萊昂・莫拉萊斯—奎薩達（Leon Morales-Quezada）表示，在開放標示臨床研究中，告知患者服用安慰劑可能帶來的益處至關重要。他是德金參與的那項研究的主要研究者，他說：「我們一開始就告訴患者：我們會給你服用安慰劑，但說不定有助於控制疼痛，並減少類鴉片止痛藥的用量。」

莫拉萊斯－奎薩達說，人們最初感到驚訝，而且往往覺得懷疑。「他們無法相信我們的提議，但同時也很好奇。」

強大的大腦

二〇一八年發表的影像學研究顯示，傳統的安慰劑通常會啟動涉及疼痛和療癒的神經傳導物質。耶魯大學醫學院精神科主任約翰·克里斯托（John Krystal）雖並未參與這項研究，但他表示，這無疑是開放標示安慰劑有效的部分原因。

專家表示，安慰劑是由醫生開出，這一點也是關鍵所在。「安慰劑的作用與藥丸本身無關，而在於服藥的儀式。」卡普丘克說。

然而，有明確標示的安慰劑的作用，可能與傳統的安慰劑有所不同。專家愈來愈清楚地認識到，特別是對於疼痛患者，大腦可能會加劇疼痛，並放大本應忽略的身體感覺。卡普丘克在二〇一八年《英國醫學期刊》（*British Medical Journal*）上寫道，對某些人來說，被指示吞下一顆沒有生理作用的藥丸，或許在某種程度上，會比被告知安慰劑可能是藥物，更能中斷大腦的疼痛信號。

卡普丘克說：「我們從未說過它肯定有效。」他指出，在減少大腦放大疼痛方面，不確定性似乎發揮了重要作用。

此外，卡普丘克和貝斯以色列女執事醫療中心胃腸動力學和功能性腸道疾病療程主任安東尼．蘭寶（Anthony Lembo）根據他們最新的腸躁症候群（irritable bowel syndrome）研究，指出了進一步的前景。他們在四月的《心身醫學》（*Psychosomatic Medicine*）期刊上發表文章，招募了兩百六十二名腸躁症候群患者，與二〇一〇年研究中的八十名患者相比，這次研究又增加了受試者數量，還增加了第三組受試者：服用傳統安慰劑的患者。這組患者被告知他們要麼服用安慰劑，要麼服用薄荷油。一些研究顯示，薄荷油可以緩解腸躁症候群。六週後，開放標示安慰劑組和標準安慰劑組均呈現類似的改善跡象，而未接受藥物的對照組症狀則沒有變化。

研究人員仔細分析參與者的反應後，他們發現，兩個安慰劑組之間存在一些差異。例如，服用開放標示安慰劑的患者，比未接受任何治療的患者更容易認為，自己的疼痛情況恐怕永遠不會改善，研究人員稱之為「疼痛恐怖化」。此外，那些對結果抱有最高期望的患者，症狀緩解的可能性反而更低。而在標準安慰劑組中，這兩種情況都沒有出現。

「重點不在於要相信自己會好起來。」卡普丘克推測道，「在我看來，這是關於身體能夠在沒有刻意的情況下，感知某些東西。」

各式各樣的應用情況

研究開放標示安慰劑的另一種方法，是將安慰劑與積極治療搭配使用，就像莫拉萊斯－奎薩達的類鴉片止痛藥研究中所做的那樣。這種做法的目的，是訓練大腦將安慰劑與治療反應連結起來。其原理類似於巴夫洛夫著名的餵狗實驗，即每次鈴聲響起時餵狗，後來狗只要聽到鈴聲就會流口水。

在莫拉萊斯－奎薩達的初步研究中，二十名重傷住院患者被隨機分配接受誠實的安慰劑或常規類鴉片止痛藥治療。研究人員在《疼痛報告》（*Pain Reports*）中指出，六天後，常規治療組的類鴉片止痛藥使用量保持相對穩定，而服用安慰劑組的使用量則下降了六六％。德金參與的研究也得出類似的結果，這項後續研究預計很快就會發表。

同樣的，去年發表在《疼痛》（*Pain*）期刊上的一項研究中，五十一名接受脊椎手術的患者，被隨機分配到服用誠實的安慰劑搭配止痛藥，或只服用鎮痛藥的常規治療，兩組患者都可以根據需要，使用類止痛藥。在為期兩週的研究期間，開放標示安慰劑組使用的類止痛藥減少了三〇%，但疼痛程度並未增加。

不涉及制約作用的研究，主要集中在缺乏有效藥物的疾病上。比方說，德國研究人員發現，慢性背痛患者在服用開放標示的安慰劑三週後，疼痛、功能障礙和憂鬱症狀有所減輕。根據《癌症支持照護》（*Supportive Care in Cancer*）發表的一項研究，持續疲勞的癌症倖存者，也從開放標示安慰劑中受益。與未接受治療的患者相比，服用開放標示安慰劑的患者的偏頭痛情況更加改善了。

開立安慰劑處方箋？

參與這項研究的醫生尚未將這種治療方法納入臨床實務中。畢竟，正如胃腸科醫生蘭寶指出，這種療法仍處於實驗階段，而且醫生也無法輕易開出藥罐上標有「安慰劑」的處方箋，讓患者在當地藥房購買。但莫拉萊斯—奎薩達期待有朝一日，許多醫生會採用安慰劑，尤其是用於治療疼痛。

事實上，許多醫生已經悄悄地將安慰劑納入他們的實務中。二○○八年，《英國醫學期刊》刊登了美國國家衛生研究院（National Institutes of Health）對近七百名內科醫生和風濕病學家的調查。結果發現，超過一半的醫師表示，他們經常開立維生素、非處方止痛藥或其他治療方式，只是為了獲得安慰劑效果，但他們很少向患者承認這一點。

洛杉磯三十七歲的科技企業家羅納德·威廉斯（Ronald Williams），最近就拿過這類處方。去年十一月，他感到背部疼痛，去看了骨科醫生，醫生檢查後，建議他使用符合人體工學的辦公椅，和做一些頸部運動。然而，威廉斯一直催促醫生開藥，最後醫師讓步，開了處方。威廉斯採用了這三種方法，一週後再去看醫生時，他告訴醫生，由於「神奇的藥物」，他的疼痛已經消失了。這時，醫生才承認該藥只是安慰劑。

馬里蘭州約翰霍普金斯大學的生物倫理學家安・巴恩希爾（Anne Barnhill）表示，威廉斯在得知這個真相後感到有趣，但其他人可能就不會這麼想了。她說，醫生有道德義務不欺騙患者，即使他們認為，隱瞞安慰劑會對患者有所幫助。更重要的是，隱瞞安慰劑可能會暫時緩解症狀。但如果患者後來研究自己的病情，發現所服用的安慰劑並沒有醫療效果，恐怕會損害醫病關係。耶魯大學的精神科主任克里斯托尤其擔心，這種情況會發生在少數族群，因為他們對醫療系統的信任度本來就很低。

巴恩希爾提醒說，儘管醫生需要非常謹慎地盡告知義務，但誠實地告知患者安慰劑的情況，可以避免這些問題。因為並不是每個人都理解相關術語，有些人即使被告知安慰劑中並未含有活性藥物，但他們仍可能認為其具有療效。

患者本身似乎也對這個觀點持開放態度。二〇一六年，美國國家衛生研究院和凱薩醫療機構（Kaiser Permanente）對八百五十人進行一項調查，當人們被問及，在某些情況下，是否可以接受開放標示安慰劑，如病情並不危險、且不存在良好治療方法時，約八五％的人回答「可以接受」。

「心理想法在患者康復過程中，發揮非常重要的作用。」──克里斯托說。與所有安慰劑一樣，開放標示的安慰劑也受益於醫生和患者之間的密切關係，這是「我們社會中，最特殊、最獨特的人際連結之一」。

本章小結

雖然萊恩對學習網路行銷的熱情是很好的驅動力，但顯然這還不足以讓他掌握這個主題。他很想說自己了解網路行銷，因此他正在以最快的速度翻閱買來的書籍。

然而，用這麼快的速度閱讀，讓他讀完也難以理解。他確實能讀懂書中的文字，卻無法自信地談論這個主題，他所欠缺的是更主動的閱讀方式。

話說回來，主動閱讀不僅需要吸收頁面上的資訊，還需要理解新的概念和觀點。為了掌握更多內容，我們需要發揮認知能力，並運用批判性思考策略，才能對內容有通盤理解。這點後文會再深入討論。

關鍵要點

- 閱讀，不僅僅是理解頁面的文字。
- 被動閱讀就像學生為了通過考試，而閱讀指定的書籍。
- 主動的讀者會與作者互動，將自己的知識加入正在閱讀的內容中，並帶著問題去閱讀。
- 成為主動的讀者是需要不斷練習的過程，在閱讀時需要全神貫注。你在閱讀時愈主動，就愈能理解所讀的內容。

第3章

從硬塞資訊到消化理解，全面提升閱讀力

要克服閱讀的困難，

需要批判性地閱讀眼前的文章，

像解謎一樣來回破解，並掌控閱讀過程。

蘿拉的哥哥因感染COVID-19已經住院三週，她真的很擔心他，想盡一切辦法了解他的情況。她盡可能地從自己能找到的可靠來源，來研究這種疾病，並盡量從他的醫生那裡，了解他的最新情況。然而，她一直有一股衝動，想更了解他的身體到底出了什麼事，因為他似乎並沒有好轉。

每天，她都會上網嘗試更了解這個肆虐全球的疾病。在她哥哥生病之前，她聽過有關COVID-19的概括資訊，了解其症狀，並知道需要採取哪些措施，來避免感染這種疾病。但在她哥哥生病住院後，儘管她沒有醫學背景，她還是想要更了解這種疾病會引發的狀況。

有關這種疾病的大量資訊、文章和新聞，讓她吃不消。她很想弄清楚，但每當她讀到一些東西時，感覺就像在往腦子裡硬塞東西。要麼是她理解得不夠多，要麼是她沒有從所讀的內容中，獲得充分的資訊。

蘿拉很聰明。然而，無論她怎麼努力，她都不知道如何充分利用她所讀到的東西，遑論完全掌握讀到的觀念。那麼，蘿拉到底是哪裡做錯了？她怎樣才能克服閱讀的困難？

閱讀，是為了什麼？

在深入解決蘿拉所面臨的問題前，我們在選擇閱讀內容時，首先應該區分不同的閱讀目標。第一個目標是為了純粹的娛樂，這是完全合理的。事實上，我們應該為了娛樂消遣而讀，因為這有助於我們熱愛閱讀。[1]此外，事實證明，快樂閱讀有很多好處，不只是「閱讀成就和寫作能力」、「更理解其他文化」和「對人性和決策有更深入的洞察」。[2]

閱讀的第二個目標，是獲得資訊。無論研究什麼主題，閱讀都是為了增加我們的資訊庫。例如，讀新聞是為了知道身邊發生的事情，讀歷史是為了更了解這個時代之前發生的事情。而閱讀的第三個目標，是求得理解。第二和第三個閱讀目標的差異在於，閱讀時大腦所經歷的各種體驗。然而值得注意的是，為獲得資訊而閱讀，以及為理解而閱讀，要區分這兩者並非易事。

我們將著重於這種差異，以便了解並運用不同的機制，來解釋和理解一本書的內容。我們之所以不會專注於第一個目標——為了娛樂消遣而讀，是因為純粹為了娛樂而閱讀，並不需要特定的認知能力。事實上，為了娛樂消遣而讀「需要付出的努力最少」，而且無須遵守任何規則。[3]

在閱讀任何內容時，會出現兩種情況……

為了獲得資訊而閱讀和為求得理解而讀，兩者之間存在著微妙的界限，理解其中的區別至關重要。在閱讀一本書或任何內容時，你的大腦與眼前文字的關係，有兩種：[4]

一、你理解內容，讀到的資訊對你來說清晰明瞭。

二、你知道你理解得不夠，可能需要參考其他消息來源、或其他人的意見，才能理解其中的內容。

蘿拉面臨的就是第二種情況。為了清楚地說明這種差異，讓我們從蘿拉讀過關於COVID-19的文章中，摘錄兩個片段。

片段一：[5]

高層衛生官員警告說，三分之一的美國居民生活在COVID-19威脅非常嚴重的地區，人們應該「考慮」在室內戴口罩。

根據美國疾病管制與預防中心（Centers for Disease Control and Prevention）主任的說法，COVID-19平均住院七天的人數，比上週增加了一九%。

同時一項分析發現，如果施打了COVID-19疫苗，則可以挽救三十一萬九千名美國人的生命。研究人員製作了一個儀表板，顯示美國各州和全國每一百萬居民透過疫苗可預防的死亡人數。儀表板還顯示了一種「替代情景」，描述了如果八五%、九〇%或一〇〇%的成年人接種疫苗的話，死亡人數會是多少。

片段二：[6]

淋巴球減少症（lymphopenia）對微生物感染的影響

淋巴球減少症是COVID-19患者的常見特徵，可能是與疾病嚴重程度和死亡率相關的關鍵因素。在多種疾病中，免疫平衡與微生物之間存在相互影響的關係。(1, 3)-β-D-葡聚醣是一種眾所周知的多醣，是真菌細胞壁的關鍵結構成分。在我們先前的研究中，發現淋巴細胞含量低的COVID-19重症患者，其(1, 3)-β-D-葡聚醣含量顯著高於淋巴細胞含量高的患者。此外，大多數淋巴球減少症患者更容易受到微生物感染。陳（Chen）等人的研究顯示，可以從患者身上培養出多種微生物，這與我們的研究結果相似。總體而言，研究結果顯示，COVID-19患者的微生物感染，會加劇疾病的進展和嚴重程度。

在閱讀片段一時，幾乎每個識字的成年人都能明白這篇文章的內容。讀者知道什麼是COVID-19、什麼是「戴口罩」，以及什麼是COVID-19疫苗，這篇文章只是重申了多數人早已知道的常識性內容。雖然它補充說明了新的統計數據，但並沒有真正提高我們對該領域的全面理解。

另一方面，片段二中的文字，可能稍微複雜一些。除非你碰巧熟悉醫學術語，否則你讀這些詞彙時，會發現自己不明白其中的意思。為了完全理解內容，你需要向他人或另一本書尋求幫助。

為了更理解所讀的內容，我們要專注於閱讀的第三個目標，那就是：為求得理解而讀。而且，要做到這一點，可以不需要外在幫助，只靠讀者的心智力量就能夠完成。這能使你「從不甚理解的狀態，提升到更能理解的狀態」。[7]

在什麼情況下，會為了增進理解力而讀？

在討論「如何在閱讀時增進理解能力」之前，要先知道何時需要這項技能。在兩種情況下，我們會為了增進理解力而讀：[8]

一、「理解程度最初並不對等」，這意味作者必須比你更了解主題。

二、你需要在閱讀時，以「克服這種不對等」為目標。只要你在閱讀過程中對主題有更多的了解，這種不對等的差距就會縮小。

因此，回到蘿拉之前選擇閱讀的文章範例，可以看到在片段一中，作者傳達了我們可能沒有察覺到的資訊，但沒有教任何東西，因此並沒有加深我們對主題的理解。然而，在片段二中，作者提出了一些新概念，而且在COVID-19的醫學細節方面，知識更為豐富。

在本章中，我們的目標是加深對文章（例如片段二）的理解。如果學會了這一點，那麼為獲得資訊而讀（像是閱讀片段一），就變得很容易。

像解謎一樣處理文章，達到更深刻的理解

在第一章中，談到了在選擇閱讀內容時，保持批判性思考的重要性。有能力判斷該讀的內容，就打下「理解程度最初並不對等」的基礎，滿足了為求得理解而讀的第一種情況。透過批判性思考一本書，我們能夠看到自己和作者之間，是否確實存在不對等的差距。透過評估作者，我們可以確定他們是否占上風，以及自己能否從書中學到一些東西，以此決定這本書是否值得一讀，以獲得理解。

一旦做到這一點，之後就需要努力克服不對等。這是為求得理解而讀的第二種情況，即努力縮小讀者和作者之間的不對等差距。這意味著，你

需要掌握必要的方法與步驟，來提升理解能力。

蘿拉是一位主動的讀者，但目前缺乏在閱讀時運用批判性思考的能力。她確實帶著問題去閱讀，因為她積極尋找有關這種疾病的答案，但她也需要採用「更深入的批判性閱讀方法」。[9]

閱讀時，記住這五大問題就對了

當你面對一篇文章，並且能夠主動閱讀時，你也應該用批判的方式閱讀，這將使你對文章內容有更深入的理解。以下五個基本的批判性問題，有助於你對文章進行詳細分析。[10]

①我為什麼讀這篇文章？

這個問題能讓你把心思放在「想從閱讀當中得到的東西」，而不是盲目地遵從作者的主張。每個作者都有自己的觀點，儘管他們努力保持客觀，但不一定做得到。這個問題有助你專注於自己的需求，而不是作者透過文章想要傳達的東西。

②作者想要做什麼？

作者寫作的原因林林種種，包含：敘述某事、批評別人的作品、發展理論、表達觀點，或只是想提供建議。一旦你了解作者的意圖，就能將作者的意圖，與你想從閱讀中理解的內容連繫起來。

③作者所說的，與我想學的內容，有何關聯？

這個問題涵蓋了文章的內容，以及內容與作者關心的事和你感興趣的事有何重疊。記住這個問題，你就可以發現作者在你所尋求的方面，提供了什麼內容。

④ 作者在多大程度上說服了我？

這個是批判性讀者要問的核心問題。儘管你認為這本書和作者是可靠的，但他們的論點或主張可能無法說服你，所以你需要留意作者所做的任何假設。

⑤ 讀完後我能如何運用它？

你在多大程度上同意、或不同意作者的觀點？你將如何使用文章中的資訊，來進一步理解這個主題？這是你在閱讀後得出的結論。

這樣做，解決文章中的難題

以這些問題作為指南，當你進行批判性閱讀時，常需要像解謎一樣來處理文章。事實上，「為求得理解而讀」更像是在研究書中的內容，而不是一味地閱讀。

要加深對片段二內容的理解，只是從第一句讀到最後一句話會白忙一場，除非你熟悉文中使用的醫學術語。當你為了增進理解而閱讀時，你應該來來回回閱讀很多次、畫重點和底線、做筆記、畫圖表，最重要的是，花一些時間思考和斟酌所讀的內容。[11]

讓我們回到片段二，嘗試解開這段文章的謎題。請依照下圖注解的數字順序，由小到大依序閱讀（注解1.1、注解1.2……以此類推）。透過這個流程，你也會知道如何處理文字，以簡化內容。因為像片段二這樣的文字會消耗我們的大腦，而透過這種方式，我們單純發揮心智力量，就可以更加理解。另一方面，這樣的活動會擴張你的大腦能力。你在作者的幫助下提升了能力，而作者也會教給你一些東西。[12]

注解1.1

這就是文中的論點，即淋巴球減少症（在COVID-19患者中常見），是與疾病的嚴重程度和死亡率相關的關鍵因素。

注解3

現在我知道什麼是β-D-葡聚醣了，所以回到標上注解2的句子，我了解到COVID-19患者淋巴細胞含量較低，β-D-葡聚醣含量就高，而後者是真菌細胞壁的成分。

注解2

如果我回過頭來讀這段話，就會發現，這就是文章將患有淋巴球減少症的COVID-19患者與β-D-葡聚醣連繫起來的地方（這部分我仍然沒有完全理解）。

注解1.2

讀完第一句後，我還應該把注意力轉移到這裡。整個段落都在論述這些發現，所以無論前面的內容是什麼，都是為了引出這個觀點——COVID-19患者的微生物感染會加劇疾病的嚴重程度。

淋巴球減少症（lymphopenia）對微生物感染的影響

淋巴球減少症是COVID-19患者的常見特徵，可能是與疾病嚴重程度和死亡率相關的關鍵因素。在多種疾病中，免疫平衡與微生物之間存在相互影響的關係。(1, 3)-β-D-葡聚醣是一種眾所周知的多醣，是真菌細胞壁的關鍵結構成分。在我們先前的研究中，發現淋巴細胞含量低的COVID-19重症患者，其(1, 3)-β-D-葡聚醣含量顯著高於淋巴細胞含量高的患者。此外，大多數淋巴球減少症患者更容易受到微生物感染。陳（Chen）等人的研究顯示，可以從患者身上培養出多種微生物，這與我們的研究結果相似。總體而言，研究結果顯示，COVID-19患者的微生物感染，會加劇疾病的進展和嚴重程度。

五步驟，主動參與閱讀的過程

在閱讀過程中運用自己的認知能力，是另一項基本的認知技能，你需要充分了解正在閱讀的內容，並掌控閱讀的過程。而有幾個步驟可以幫助你做到這一點。你會注意到，這些步驟與「如何成為主動的讀者」和「怎麼進行批判性思考」是有所重疊的：[13]

一、**預測**書或文章的內容，這可以在閱讀時進行。你可以預想這本書可能講述的觀點，或作者會下的結論。隨著你繼續讀下去，你的預測要麼得到證實，要不然就是被否定。如果情況是後者，你必須做出新的預測，並繼續讀下去。

二、邊讀邊**想像**。在腦中把概念具象化，或嘗試想像具體的行動。而任何關於閱讀內容的視覺化呈現，都有助於加深理解。

三、**結合**你以前的知識，與你所知道、或曾經經歷過的事情進行比較，這能幫助你更輕鬆地理解所讀的內容。

四、持續**注意**自己對每個部分的理解。你會有辦法覺察，自己不理解文意的時候。不要忽視這種感覺，然後還繼續閱讀而不去嘗試理解。如果你無法理解內容，請嘗試另一種閱讀方式，就像我們在前面的範例中所做的那樣。

五、**糾正**你在理解中可能存在的漏洞。有時你或許會覺得需要重讀、甚至需要繼續閱讀，才能理解某個觀點。在觀察、注意自己有多理解時，找出認知漏洞，並尋求解決方案，無論是重讀或繼續閱讀。

閱讀素養實戰訓練

試著閱讀與COVID-19免疫發病機制與免疫治療相關的文章，[14]並選擇閱讀當中的幾段。

利用前文提到的工具對文章進行批判性閱讀，試著理解內容，縮小你和作者之間的差距。

以下是破解和理解這類文章的建議：與SARS-CoV引起的免疫病理學進行比較。

本章小結

不要一味地閱讀，還要力求了解更多。目標是在讀完一本書或一篇文章後，得到更多的啟發，獲得更豐富的知識，不僅是得到資訊而已。要成功實現這個目標，你需要運用多種認知能力。無論是什麼類型的內容，只要你運用必要的能力、發揮心智力量，就有辦法深入理解。

話說回來，蘿拉只能透過以下步驟，來實現她的目標：增加對COVID-19及其影響的了解。她需要批判性地閱讀眼前的文章，像解謎一樣來回破解，並掌控她的閱讀過程。最終，她讀完文章後，會更了解這個主題。

然而，當她的母親詢問她哥哥的病情時，她卻很難解釋自己新獲得的資訊。她明白自己讀到的內容，但無法解釋。那她還欠缺了什麼？

關鍵要點

- 閱讀的三個目標是：為了娛樂消遣而讀、為獲得資訊而讀、為求得理解而讀，最後一項也是本書的重點所在。
- 批判性思考有助於我們選擇所讀的內容，而批判性閱讀則使我們能夠更理解所讀的內容，從想要學習的內容中獲取知識。

- 要想讀懂更多的內容，可以鑽研般地去閱讀。比方說，透過來來回回閱讀很多次、做筆記、概述和總結，來嘗試解讀文章。
- 為了在閱讀時理解更多內容，我們應該掌控閱讀的過程。

第4章

如何讀？如何學？如何讓知識為你所用？

在沒有老師的情況下學習時，就是自我發現型的學習。
要成功地透過書籍或文章，實現自我發現型的學習，
需要掌握三大理解層次。

吉姆在學生時代一直表現不佳。高中時，他不斷翹課，高二就被當了。他對學習或任何與學校有關的事情從來不感興趣，他退學後去當建築工人，他喜歡動手做事情，並漸漸愛上了這份工作。吉姆在工作上表現出色，當上了主管。他娶了一位可愛的女士，並有一個剛滿十四歲的女兒。

隨著他的寶貝女孩慢慢長大，他開始擔心他們會漸行漸遠。現在她十四歲了，他發現父女倆沒有什麼共同點，也找不到她感興趣的聊天話題。因此，聽到女兒的學校要舉辦父女讀書會時，他很高興參加，只希望能和女兒更親近一些。然而，他後來意識到，要想成為讀書會的一員，他必須閱讀書籍。

他已經很久沒有拿起一本書了，也興趣缺缺。然而，看到寶貝女兒對讀書會如此興奮，他決定無論如何都要去參加，這樣就有話題可聊，也能共度時光。他們必須讀的第一本書是哈波．李（Harper Lee）的《梅岡城故事》（*To Kill a Mockingbird*）。

起初，拿起那本書來讀，確實讓吉姆感到辛苦和頭痛。然而，他很高與女兒開始挑戰他，看誰先讀完這一章或那一章。他也喜歡他們討論故事的時光，所以他每天晚上都會打開那本書讀一讀。當讀書會聚會時，他直言不諱，興奮地跟大家分享他對這本書的想法。他非常驚訝，甚至告訴妻子：「我不知道高中同學看到我現在參加讀書會，會說什麼！我以前厭惡看書。但妳知道嗎，我現在真的很喜歡看書，而且我也不知道為什麼！」

吉姆在看書方面有兩種不同的體驗。第一種是在高中的時候，他非常討厭這段經歷，因此輟學了。第二種體驗是和女兒一起參加讀書會，他發現自己很喜歡看書。他開始期待閱讀時光，並興致勃勃地討論讀過的內容。那麼，這兩種讀書體驗有什麼差別？為什麼他這麼喜歡第二種體驗？

事實上，這兩種體驗顯示了兩種不同的學習方式，而這正是本章討論的核心。

你是真理解，還是假硬背？

以前必須學九九乘法表時，老師只是說，例如，3×7＝21。我們只知道，如果將七乘以三或三乘以七，答案就是二十一。大家得背誦乘法表，並試著靠著記憶來給出乘法問題的答案，這是我們學習過程的一部分。老師講述事實，我們必須牢記在心。大家就是用這種方法，在學校成長過程中獲得更多資訊，並學會了一切。

但另一方面，我們也可以去理解**為什麼**三乘以七，或七乘以三會得到二十一，讓我們試著模擬理解這個算式的過程。假設我有一個裝滿蘋果的籃子，我一次拿三顆蘋果，然後把它們放進盒子裡，我最後總共要裝七個盒子。現在，我有七個盒子，每個盒子有三顆蘋果。我可以把七個盒子的蘋果數量相加。所以三加三加三加三加三加三加三，加起來是二十一。由於每個盒子裡的蘋果數量相同，我可以使用乘法代替加法。因此，將每個盒子中的蘋果數量乘以盒子數量，得到3×7＝21。

同樣的，如果我在每個盒子裡放七顆蘋果，我最終會裝滿三個盒子，所以蘋果的總數是七加七加七，加起來也是二十一。這就是為什麼七乘以三也等於二十一。

想要「理解」，先決條件是……

老師告訴我們3×7＝21，這是一種有效的學習技巧，因為我們獲得了數學事實。但如果只是死記硬背，除了資訊之外，我們不會從中獲得任何東西。

然而，一旦了解乘法的運算，以及乘法與加法的關係時，我們就會恍然大悟。當你對某件事有所領悟時，你就能加以解釋。你知道老師或作者說了什麼，他們的意思是什麼，以及為什麼會這樣。

值得注意的是，如果不先獲得資訊，就無法理解某件事。因此，獲得資訊其實是理解的先決條件，或者說是領悟的先決條件。這是因為，如果想理解其中的意義，必須記住提過的內容。重要的一點是，不要只停留在接收資訊上。[1]

在閱讀一本書時，你的目的是理解其中的資訊。既然是為求得理解而讀，你需要思考自己「正在閱讀的文字」和「正在學習的資訊」。身為讀者，一旦試圖從眼前的書中建構意義，就是在累積知識。而伴隨著知識而來的，理應是理解。[2]

「讀很多」與「讀得好」之間，差別在……

法國文藝復興時期哲學家蒙田說的「學者的無知」（按，蒙田說：「初學者的無知在於未學，而學者的無知在於學後。」），反映了閱讀時「獲得知識」與「真正理解」脫節的現象。這種無知，是那些讀了很多書、卻不理解所讀內容者的典型特徵。事實上，「讀很多」和「讀得好」之間，有很大的差別。為了理解這種差異，我們需要區分兩種類型的學習：「指導型的學習」和「自我發現型的學習」。[3]

成年後，這樣學習才有效

在學校時，指導型的學習占主導地位。老師站在全班同學面前，要麼講述資訊，要麼要求我們從書上讀這些資訊，這是指導型的學習。然而，「自我發現」是獲取知識的另一種方式。透過自我發現來學習時，你能夠解釋你所獲得的資訊，而不僅僅是回憶這些資訊。而所謂自我發現型的學習指的是，你研究一個主題，深入挖掘並進行調查，或甚至只是在沒有人教你的情況下，對資訊進行反思。

兩種類型的學習各有好處。如果首先透過指導來學習，那麼在缺乏相關主題的先驗知識（prior knowledge，按：先驗知識是在學習、推理或問題解決之前，個體或系統已具備的知識和經驗。這種知識是通過以前的學習和觀察累積起來的，而不是通過當前的任務或問題直接獲得）下，使用這種學習方法是有益的。因此，這種學習方式多用於學校。當學生需要指導才能好好理解主題時，這種方法很有幫助。然而，儘管這種方法對學生來說是善意和有益的，但也有很多缺點。

人一生中的大部分時間，都透過指導來學習。因此在商業世界中，我們會面臨許多困難。在典型的課堂上，老師先為學生提供資訊，然後讓他們利用這些資訊解決問題。然而，身為成年人，我們是先面對問題，然後尋求解決這些問題的方法，所以此時指導型的學習毫無用處。

相較之下，透過自我發現來學習時，實際上學到了有助於處理現實問題的核心概念。在現實世界裡，我們的學習過程是在解決問題的當中，透過研究、調查，然後發現解決問題的不同路徑。最終，自我發現型的學習提供了必要的思考技能，幫助我們記住知識。這些技能分為以下三大階段：[4]

一、**了解背景**：我們面臨的問題，可以讓我們熟悉一個主題。

二、**探索和分析**：在研究階段，我們傾向於盡可能收集有關主題的資訊，並嘗試分析問題的細節。在此過程中，我們獲得了解決問題所需的資訊。

三、**得出結論**：一旦獲得了新的見解，並對當前問題更加理解，我們就可以進行解釋，並嘗試解決問題。

讓學習主動化，閱讀才會成功

需要注意的是，指導型的學習絕不是一種被動的行為。正如閱讀從來不是完全被動的一樣，學習也不可能是毫無行動的。因此，指導型的學習也可以稱為「輔助的發現」。正因為這仍是一種主動的行為，所以透過指導、或輔助的發現來學習時，是有賴思考的。

另一方面，透過自我發現來學習時，需要付出更多的努力來理解，這是因為思考只是學習過程的一部分。我們應該透過觀察、記憶和建構無法觀察到的抽象概念，來運用感官和想像力。[5] 而透過練習和完善批判性思考，可以做到這一點。事實上，這種重要的心理技能其實始於主動學習。[6]

當你透過老師的指導來學習時，你不會在學習過程中運用所有心智能力，這種學習方式只會幫助你獲得資訊。相較之下，在沒有老師的情況下學習時，就是自我發現型的學習。你不僅需要思考正在學習的內容，而且必須利用你所擁有的一切來真正理解。這就是主動學習，只有透過更深入的理解能力和靈活的思考方式，才能做到這一點。[7]

而主動閱讀包括自我發現型的學習所涉及的所有技能，像是：善於觀察、擁有良好的記憶力、發揮想像力，以及具備分析和反思的智力。[8] 當我們閱讀是為求得理解，而不僅僅是為了獲得資訊時，我們就超越了書中的單純資訊或文字的字面意義。主動閱讀就像主動學習一樣，我們對所讀的內容有更深入的理解，培養出洞察力，並進行批判性和更深入的思考。在閱讀時，我們會提出問題、進行解釋和評估。[9]

正如科學家透過觀察世界、質疑、分析和總結，來學習任何新概念一樣，讀者也應該這樣做。書就是你即將發掘的世界，一旦你開始質疑，並加以思考、分析，書就會給你答案。[10]

三大理解層次，循序漸進提升閱讀素養

若想要透過閱讀來主動學習，需要把閱讀當作一種學習方法。要成功地透過書籍或文章，實現自我發現型的學習，需要掌握三大理解層次。就我們思考過程所需的素養程度而言，這些層次有等級之分。[11]在每個層次中，讀者都可以使用QAR技巧，即問題（Question）、答案（Answer）和關係（Relationships），從文章中提出一系列問題。[12]透過逐步進行每種層次的閱讀，並提出各種問題，讀者能通過探索內容來學習。

第一層閱讀：字面解讀

第一層閱讀是字面解讀，即準確地閱讀文章呈現的內容。這個層次的讀者可以確定主旨，能夠回憶起支持大意的細節，並按時間順序組織要點。[13]讀者在這個層次提出的主要問題，在文章中已有明確的答案。[14]這些問題包括**人**、**事**、**時**、**地**。[15]

第二層閱讀：具備詮釋能力

第二層閱讀是具備詮釋能力，此時我們可以看出字裡行間的意思，並且是為了理解文章中隱含的意義而讀。[16]處於這種理解層次的讀者可以預見結果、歸納，並找出原因。[17]當讀者在詮釋文章時，他們會思考和尋找文章中的關聯。[18]讀者可以提出像是**如何**、**為何**，以及**如果**等問題。[19]

第三層閱讀：應用內容

第三個層次是閱讀「言外之意」，[20]這時閱讀就變成了自我發現型的學習。讀者了解文章中所說的內容（第一層），以及透過文章中的內容可以推論出的想法（第二層），並將這些想法運用到文章之外。[21]這個層次的讀者所提的問題，是對文章有感而發，但答案則來自讀者的先驗知識。[22]因此，讀者利用他們的知識和經驗，來產生問題的答案。而這時提出的問題通常是開放式的，讀者可以歸納、比較、判斷、推薦、建議、決定，甚至創造替代的解決方案或結局。[23]

閱讀素養實戰訓練

為了實現自我發現型的學習，也就是在沒有輔助的情況下學習，主動讀者需要應用我們在本章中提到的四大技能，分別是：

- 善於觀察。
- 擁有良好的記憶力。
- 發揮想像力。
- 分析與反思。

請牢記這些技能並應用三個層次的閱讀理解，並花時間閱讀費茲傑羅的短篇小說〈冬之夢〉（*Winter Dreams word*，按：讀者若有興趣，可參照現有中文版《冬之夢：費茲傑羅短篇傑作選》，一人出版社）。[24]

如果你以前沒有讀過費茲傑羅的作品，要知道，從這位美國作家的寫作風格來說，想充分掌握他所講述的故事及其背後的寓意，有賴你運用上述所有技能。費茲傑羅廣泛使用象徵和意象來傳達觀點，同時喚起人們的情感和情緒。[25]人們最終會從閱讀、理解和解釋費茲傑羅的故事中受益。

仔細讀完這篇小說後，試著回答以下問題：

一、德克斯特的社會地位是如何變化的，為什麼？

二、為什麼德克斯特沒娶茱蒂，也不娶愛琳？

三、費茲傑羅的風格充滿了將人物的虛構性與現實結合的意象，找幾個完美表達德克斯特和茱蒂之間複雜關係的意象範例。作者是如何做到這一點的？

四、德克斯特最終失去了什麼？這種損失傳達了人類的哪種狀態？

五、你能把德克斯特的故事和美國夢連結起來嗎？

本章小結

閱讀書籍會有不同的體驗。吉姆就有兩種不同的體驗，一種是他厭惡的，另一種則讓他樂在其中。當你拿起一本書，決定去探索其中的內容，你會在這個探索中找到快樂。你將在沒有導師告訴你要尋找什麼的情況下學習，並且可能會得出自己的結論。

吉姆對書籍毫無興趣，直到他發現頁面上的文字，可以讓他僅憑心智的力量就能探索書中的世界。他不喜歡高中時的讀書經歷，應該是因為老師和課程設計的限制。但在讀書會裡，他既是輔導員，又是學生。他喜歡提問和回答，喜歡搜尋和分析，喜歡在探索中理解和學習。

在到目前為止的章節中，討論了讀者如何主動閱讀。我們也體會到，閱讀的方式取決於目標是什麼。我們現在知道，在閱讀中付出的努力愈多，閱讀的效果就愈好。此外，本章也區分了指導型和自我發現型的閱讀。這些工具都有助於增強我們的閱讀能力，如果能夠正確地運用這些工具，就能讀得更好。然而，要晉升到下一個閱讀層次，我們仍欠缺一項必要技能。

關鍵要點

- 學習有兩種類型：指導型的學習和自我發現型的學習。
- 指導型的學習是有人為你提供資訊，你透過記住所學內容，來提取資訊。
- 自我發現型的學習是在沒有輔助的情況下，完成學習。要成功做到這一點，需要具備思考能力：

一、了解背景。

二、探索和分析。

三、得出結論。

- 透過主動閱讀，並運用理解文章所需的四大技能，可以實現自我發現型的學習：

一、善於觀察資訊。
二、擁有良好的記憶力。
三、發揮想像力。
四、分析與反思。

- 閱讀文章時，有三種理解層次。在每個層次上，讀者都會提出不同的問題，以順利學習和理解文章的內容：

一、字面解讀的層次：完全按照字面內容閱讀。

二、具備詮釋能力的層次：閱讀隱含的內容。

三、應用內容的層次：分析資訊，並能跳脫文章框架，實際活用。

第5章

提升閱讀層次，需要哪些條件？

閱讀，分為四個層次。

我們將解釋每個層次的意義、規則，

以及如何達到特定層次的閱讀。

四兄弟姊妹，與他們的閱讀方式

奧黛麗、亞當、珍和傑克手足四人，都很有成就。他們在不同的領域工作，各有各的閱讀目的與方式。奧黛麗是教師，專門教導幼兒如何閱讀；亞當是剛拿到獎學金的醫科學生；珍是心理學家；傑克是博士生。

四兄弟姊妹都在不同的層次上閱讀。奧黛麗主要教學生最基本的閱讀技巧。亞當需要不斷閱讀，但由於時間繁忙，沒有時間仔細閱讀每一本書或每一篇研究論文，所以他的閱讀速度很快，能夠快速掌握資訊。只有當他找到真正需要的重要書籍時，他才會花時間詳細閱讀。

珍是執業心理學家，在很多時候，她面對的臨床症狀是需要多加了解的。於是，她會拿起心理學書籍，仔細閱讀，沉浸在細節之中。傑克正在寫他的論文，需要同時閱讀許多書籍來提出論文並完成研究。

這四個兄弟姊妹都會閱讀，但每個人的閱讀方式都不一樣。這四個人以及他們的閱讀方式（或以奧黛麗的例子，她是在教人閱讀），象徵著四個閱讀層次之間的差異。這些層次是本章、最終也是整本書的核心。

關於閱讀，你需要知道的四個層次

我們寫這本書的主要目的，是學習如何讀得更好。而要想把事情做得更好，就需要提高層次。話說回來，要想提高閱讀層次，首先需要了解每一個層次，再來是如何提高層次，以及從一個層次提升到另一個層次，需要哪些條件。這就是為什麼在本章中，會詳細討論每個閱讀層次，而這些層次的區分是大家一致認同的。[1] 我們將解釋每個層次的意義、規則，以及如何達到特定層次的閱讀。

奧黛麗教小朋友如何閱讀，她教他們紙上的形狀代表什麼意思，以及如何透過心智的力量將這些形狀轉化為文字，再將文字轉化為意義。這是閱讀的基礎層次，我們都順利地達到這種層次，否則就不會閱讀或編寫這本書了。而這個層次也被稱為「基礎閱讀」（elementary level）。若要成功掌握這個層次，就需要學習閱讀所需的基本技能，並接受最基本的閱讀訓練。

亞當身為醫學生，他是一位優秀的讀者。他不僅懂得閱讀，而且閱讀速度很快。他也是一位審慎的讀者，知道如何快速瀏覽書籍，選擇他認為值得花費寶貴時間的書，這種閱讀層次或粗讀（pre-reading），稱為「檢視閱讀」（inspectional level），是為了在短時間內充分利用某本書，而這段時間不足以讓你從書中獲得所有的內容。對於像亞當這樣沒有太多時間深讀的人來說，這種閱讀層次是完美的解決方案，因為他的時間很少，這可以讓他充分理解一本書。

當珍需要理解心理學中的新概念以利診斷時，她需要深入閱讀有關該概念的書籍。與前一個層次相比，這個層次的閱讀要用足夠的時間，需要全神貫注，充分發揮讀者所有的心智能力。這是閱讀的第三個層次，也稱為「分析閱讀」（analytical reading）。這是完整、周密、眾所認定的好的閱讀方式，是我們所能做到的最好的閱讀層次，也是我們希望在本書結束時達到的境界。

你現在可能會想，如果分析閱讀是終極境界，為什麼還有第四個層次？身為一名博士生，傑克需

第一層：基礎閱讀
第二層：檢視閱讀
第三層：分析閱讀
第四層：主題閱讀

閱讀的四大層次

要進行分析閱讀的不僅僅是一本書，而且需要同時閱讀好幾本書，才能撰寫論文，所以第四個層次的閱讀是「比較閱讀」（comparative reading），或稱為「主題閱讀」（syntopical reading）。即使書籍內容並不複雜，且相對容易閱讀，這仍是最耗心力的閱讀層次。

第一層：基礎閱讀

如前所述，這是最基本的閱讀層次，所有識字的成年人都已經掌握了這個層次。讀者在這個層次提出的主要問題是：「這句話是什麼意思？」我們在基礎閱讀層次上的主要工作，是能夠真正辨識頁面上的詞彙。一旦能識別這些詞彙，就可以開始理解整句話的意思。

閱讀，真的需要有人教

如果你認為這個層次的閱讀太簡單，不適合納入本書中，那你就錯了。如果考慮到，把簡單形狀轉化為意義，所需掌握的諸多要素，那麼這個層次的閱讀實際上是一個驚人的現象。[2]如果你在成年後曾經嘗試學習第二語言，你就會真正理解閱讀的神奇。

例如，請看這句希臘文：Ο καιρός γίνεται καλύτερος。

第一個層次的閱讀可讓你辨認每個字母、單字和整個句子，從而理解其中的意思。順帶一提，這句話在說：「天氣愈來愈好了。」除非你已經會讀希臘文，否則這個簡單的句子對你來說難以理解。

我們在小時候就學會了閱讀，但並沒有意識到閱讀所蘊含的神奇意義。想想所有的音素（聲音的單位，「a」在father（父親）和snake（蛇）這兩個字中的發音有何不同）；想想字素（字母組合產生的最小聲音單位。例如單字ghost中的第一個音是由「g」和「h」產生的），並想想單字包含的語素（可以用來創造出更複雜的單字，例如re/appear/ed）；想想句子中的主旨、句法組成和文體。[3]身為識字的成年人，我們在這個層次所做的，不僅只是理解單字，更能下意識就將上述的語言學概念，應用於閱讀中。

而基礎閱讀又可分為四個階段，每個學習閱讀的孩子都會經歷這些階段。到了第四階段，孩子就算是具有「成熟的閱讀能力」。[4]

第一階段：閱讀準備

這個階段包括讓幼兒為閱讀做好準備。為了順利做到這一點、並讓孩子掌握各種相應技能，家長或老師也需要從旁協助這些準備工作：[5]

- **生理方面的準備**：包括良好的視力和聽力。
- **智力方面的準備**：具有必要的視知覺能力，來記住字母和單字的樣子。

- **語言方面的準備：**能夠口齒清晰，說出完整、正確的句子。
- **個人的準備：**孩子也需要與其他同學好好合作，並遵循簡單的指示。

基礎閱讀中的第一階段，對應到學前班和幼稚園兒童的經歷。

第二階段：閱讀簡單的讀物

在這個階段，孩子會把單字的形狀與意思連接起來。他們只要看字母就能知道單字是什麼意思。一般來說，孩子在一年級就能達到這個程度。

為了能夠閱讀簡單的讀物，孩子需要掌握的單字量應達到三百到四百個。在這個階段，他們通常會開始閱讀簡單的書籍，並喜歡解讀書中的內容。

請注意，研究顯示，如果老師指導孩子在一系列有條理的活動中，兩人一組進行閱讀，他們在這個階段的閱讀能力就會提高。[6]因此，第一階段的個人準備，對於孩子的閱讀準備至關重要。

第三階段：建立詞彙

當孩子學習閱讀單字時，他們會快速掌握新詞彙。在這個階段，孩子開始為了不同目的，來學習不同的內容，包括科學書籍、社會觀念和其他語言。

到了四年級，孩子就進入了建立詞彙的階段。這時可以預期孩子會開始拿起書籍或雜誌，為了個人的樂趣來閱讀。他們還能夠閱讀交通標誌、告示牌，甚至填寫簡單的表格。

第四階段：提升閱讀技巧

基礎閱讀的第四個、也是最後一個階段是「閱讀的成熟階段」。一般來說，青少年到了這個階段，在理想情況下，會開始努力培養自己的閱讀能力。

在這個階段，成熟的讀者可以獨立閱讀，並能夠比較同一主題的寫作風格和觀點。他們有能力對書籍和書中的觀點進行批判性思考，但需要進一步提高技能，才能成為閱讀高手。在這個階段，大多數讀者要麼停留在基礎層面，要麼開始努力超越，邁向第二個閱讀層次。

這個階段是上一章討論的學習方法發揮作用的時候。基礎閱讀層次的四個階段是透過指導型的方法來實現的。一旦孩子達到第四階段，就可以開始使用自我發現型的方法。這時讀者開始獨立閱讀，並透過發現書中的知識來學習。

問題是，大多數學生長大成人後，仍停留在第一個閱讀層次。研究人員對大學生的理解程度與自評準確度，進行了研究，發現兩者的相關性低得驚人。研究人員得出的結論是，需要更好的閱讀策略，來幫助讀者提高自評準確度。[7]

因此，接下來就詳細介紹閱讀的第二個層次。

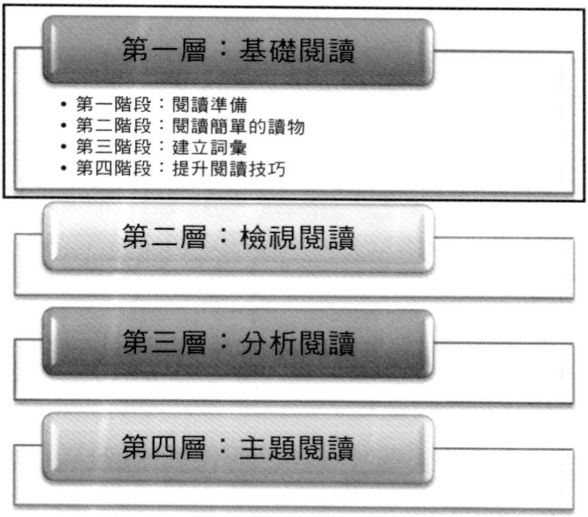
第一層：基礎閱讀
• 第一階段：閱讀準備
• 第二階段：閱讀簡單的讀物
• 第三階段：建立詞彙
• 第四階段：提升閱讀技巧
第二層：檢視閱讀
第三層：分析閱讀
第四層：主題閱讀

閱讀層次與基礎閱讀的四大階段

第二層：檢視閱讀

到目前為止，我們已經掌握了基礎層次，準備進一步邁進。我們談到了批判性閱讀，不僅是在閱讀時，而且是在選擇要讀的書籍時，也要這麼做。這個階段是成為批判性讀者的關鍵。然而，這並不代表要徹底閱讀一本書。

醫學系學生亞當是這個層次的高手，他需要好好檢視書籍，並在盡可能短的時間內充分利用內容。

這個閱讀層次是「一門系統化略讀的藝術」，[8]需要從表面去觀察一本書，並能夠吸收書中所傳授的內容。

讀者在這個層次提出的主要問題是：[9]

- 這是什麼類型的書？

• 這本書在談什麼？

• 這本書的架構是怎樣的？

• 這本書包含哪些部分？

顯然，小說與科普書籍或歷史讀物不同。因此，首先需要確定我們正在閱讀的是哪類書籍，也需要了解書中所討論的主題、架構，並辨識書中的不同部分。這就是系統性閱讀，也是第二層閱讀所使用的第一個技巧。

檢視閱讀包括兩個步驟，對於優秀的讀者來說，這實際上是一體兩面的技巧。但是在學習這個層次的閱讀時，每一個步驟可以單獨進行，隨著經驗的累積，我們可以將這兩個步驟結合起來。

步驟一：系統化略讀

略讀技巧指的是能夠提取重要部分，包括重點及相關的重要細節。因此嚴格來說，略讀就是在不必讀完全文的情況下，獲取書面資料的精髓。在略讀時，需要跳過你認為不重要的部分。

這項技巧可以幫助你選擇書籍。要想拿起一本書進行批判性閱讀，就需要具備主動的閱讀技巧。這樣你才能評估這本書是否值得深入閱讀，也就是進入閱讀的第三個層次。而略讀一本書，可以讓我們決定是否值得進行分析閱讀。

要在盡可能短的時間內瀏覽一本書，有幾個步驟，你需要先看以下幾個部分：[10]

一、**書名頁和前言**：快速閱讀書名頁，如果有前言就看前言。在這個步驟中，你可以記下這本書的主題和寫作目的。

二、**目錄**：查看目錄，快速了解本書的架構和內容。

三、**索引**：如果有索引，就能根據書中提及的特定主題和重要術語，找到指定的頁碼。你可以快速瀏覽一些感興趣的主題。

四、**出版商的介紹**：在許多情況下，你會在封底看到關於本書內容的精心總結。在論說性的書中，作者通常會幫助出版商總結書中的要點。

此時，你就會很清楚是否需要繼續閱讀這本書了。關鍵的選擇就在此。如果你認為這是一本值得閱讀的好書，你可以繼續進行下一步的略讀。

一、**最重要的章節**：如果你決定進一步閱讀這本書，你可以在前四個略讀步驟中，找出最重要的章節。根據書籍的類型，很多書在每一章的開頭有摘要說明，請仔細閱讀這部分的內容。

二、**略讀**：東翻翻西翻翻，這邊讀幾段或那邊讀幾段，必要時一次讀幾頁，但不要讀太多。

步驟二：粗淺的閱讀

假設你面對的是一本困難的書，就有必要進行檢視閱讀，這能避免我們在第一次閱讀時，就細讀和思索書中的每一個字、每一句話。而在系統化略讀這本書之後，我們應該從頭到尾不間斷地先讀完一遍。

這意味著無須查看書中的任何注解、評論和參考文獻。我們不應該去查看困難的詞彙，甚至不必試圖理解任何細節或隱含意義。如果你停下來思索每一個字和每一個觀點，就會錯過這本書試圖傳達的重點和大局。

在這個步驟中，檢視閱讀的讀者需要具備快速閱讀的能力。如果想了解一本書的全貌，就不能花上幾個月的時間來讀一本書。我們需要學習如何快速閱讀，並在盡可能短的時間內，完成第一次粗淺的閱讀。

為了提高閱讀速度，你需要……

為了提高閱讀速度，需要了解默讀背後的概念。首先要注意的是，閱讀是一種心智活動，雖然我們用眼睛看文字，但閱讀本身並不是用眼睛完成的。

眼睛是將書寫文字傳送到大腦的工具，你的眼睛能接收的文字愈多，閱讀速度就愈快。因此，如果你的眼睛一次傳送一兩個單字，閱讀過程就會比吸收一整行或兩行的字要慢得多。訣竅是盡量不要閱讀每個單字，而是讓眼睛可以一瞥，就向大腦輸入完整的句子或完整的書面想法。

為了讀得更快，你需要一氣呵成，不間斷地看，以利你思考。[11]試想如果你是逐字閱讀這句話：閱 讀 不 是 靠 眼 睛 的。

單字之間的間距，會自動讓你的眼睛更難注視整個句子，你會立即開始逐字閱讀。你的大腦會接收每個單字，然後等待下一個單字，才能完全理解句子的意思。但如果你一次讀完整個句子，你會讀得很快。

讓閱讀速度，可快也可慢

優秀的讀者需要具備快速閱讀的能力。然而，必須注意的是，他們還應該能夠以不同的速度閱讀，並知道何時使用哪一種速度。檢視閱讀的時間通常很短，但這不僅僅是因為我們知道如何快速閱讀。

主要是因為我們知道，什麼時候要快速閱讀，哪些部分應該深入閱讀，哪些部分可以完全跳過。事實上，檢視閱讀並不代表讀者要讀完整本書，而是根據心中的目的來改變閱讀方法。

即使下一個層次的閱讀肯定會比檢視閱讀耗時，讀者也需要能夠以不同的速度閱讀。每本書都包含我們可以略讀的部分，也有需要精讀的內容。這就要看讀者是否能夠理解這本書的目的，並據此確定需要慢慢閱讀的重要部分。

分析閱讀通常比檢視閱讀慢得多。儘管如此，即使在分析閱讀中，你也不應該以相同的速度閱讀所有內容。每一本書，無論是多麼困難的書，都有無關緊要的補充內容，這部分可以、而且應該快速閱讀。同理，每本好書也包含困難的內容，應該非常緩慢地閱讀。

第三層：分析閱讀

第三層次的閱讀，是優秀讀者能做到的最

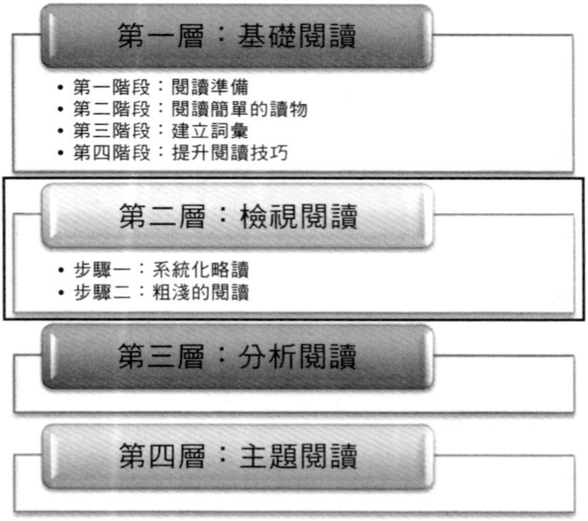

第一層：基礎閱讀
• 第一階段：閱讀準備
• 第二階段：閱讀簡單的讀物
• 第三階段：建立詞彙
• 第四階段：提升閱讀技巧
第二層：檢視閱讀
• 步驟一：系統化略讀
• 步驟二：粗淺的閱讀
第三層：分析閱讀
第四層：主題閱讀

閱讀層次與檢視閱讀的兩大步驟

複雜的閱讀方式。但如果你的閱讀目的只是為了娛樂、或單純為了獲得資訊，那麼分析閱讀就幾乎沒有必要，分析閱讀主要用於深入理解一本書。

這個閱讀層次的核心原則，可以歸結為「整理」：整理出想法和閱讀的目標，並以條理分明的方式，提出正確的問題。所以善於分析的讀者必須提出很多問題。善於分析的讀者是主動的讀者。我們已經介紹了主動的讀者在主動閱讀時，需要做的大部分事情。然而，這個閱讀層次的核心本質，是在閱讀時提出問題，並在閱讀過程中回答問題。

善於分析的讀者，需要提出的四大問題

只要高於基礎閱讀的閱讀層次，讀者都需要養成習慣，在適當的時間有條理地提出正確的問題，而提出這些問題就是主動閱讀的本質。善於分析的讀者在閱讀時必須牢記四大問題，並試圖找到答案：[12]

- 這本書談的是什麼？這本書的主題是什麼？作者是如何依次發展這個主題的？
- 作者在傳達訊息時，提出了哪些主要的想法和論點？
- 這本書說得有沒有道理？
- 書中的資訊有什麼意義？

善於分析的讀者應該在閱讀過程中，按照以上問題的順序思考，並回答這些問題。如果讀者不知道一本書的內容，那麼詢問書的論點和細節（問題二），其實是沒有意義的。同樣的，如果讀者不了解一本書的所有細節，就無法判斷這本書是否有道理（問題三）。如果讀者想要確定一本書的意義（問題四），他們需要知道各篇章的內容，並確定全部、或部分內容是否有道理。

在閱讀時，這四大問題給了善於分析的讀者一個遵循的框架。然而，要能回答這些問題，需付出的努力遠比只有提問還大。要進行分析閱讀，僅僅知道這些問題是不夠的。你必須養成在閱讀時提出問題的習慣，也必須學習如何準確地回答這些問題。

為了成功回答問題，善於分析的讀者在這個閱讀層次時，需要經歷三個階段。第一，我們需要了解這本書談論的主題和架構。第二，我們要理解書的內容。第三，我們要知道如何評判這本書。每個階段都有一套必須遵循的規則，以便完全回答上述問題。[13]

第一階段：書的架構

規則①：確定書的類型

在對一本書進行檢視閱讀後，你應該知道這是什麼類型的書。比方說，查看書名、前言和目錄等線索，來確定這本書的類型。

書籍有很多種，第一件要做的事就是確定書的類型，是非虛構作品、小說，還是戲劇？是科學書籍、理論型書籍，還是實用型書籍？需要注意的是，並非所有規則都適用於虛構作品、抒情詩和戲劇，閱讀不同類型的書籍也有不一樣的方法。

這並不意味著不能用分析的方法，來閱讀這些書，我們將在另一章中介紹如何做到這一點。以下規則適用於實用型或理論型的論說性書籍，其他書籍則略有不同，我們將陸續指出。

規則②：弄清楚書中的內容

這條規則適用於所有類型的書籍。如果是小說，你可以清楚地說明情節。如果是理論型書籍，你可以總結書中所提出的理論。這條規則的重點是用一句話，或最多用一個段落，來說明整本書的內容。

如果你去查看研究論文，無論任何主題，都會在開頭看到論文摘要。你可以看到摘要清楚地說明了研究的內容、進行的方式和結果，這部分與規則③，也就是確定書中的架構類似。

規則③：書中主要部分的組織方式

既然你知道這是什麼類型的書，以及主要內容是什麼，那麼你需要知道它的架構。這一點非常重要，可以告訴你這本書的可讀性，因為好的作品都應該是統一、清晰和連貫的。

即使你可以預測小說的情節、書中的主要理論，或者實用型書籍試圖幫助你完成的目標，但一本書中的想法是複雜的，所以需要有一定的架構。想像一下作者提出的每個論點都是一棟房子，而一座建設良好的城市會有道路，將這些論點連接起來，所以一切都需要清晰明瞭，城市的鳥瞰圖才能呈現出來，就好比是一本寫得很好的書。現在想像一個被人忽略的社區，所有的房子都隨便建造，看起來雜亂無章，這就是架構嚴謹和架構不佳的書之間的差別。

規則④：了解作者的意圖

這是了解書中架構的關鍵一步。如果你已經知道一本書的類型、主要內容和劃分方式，但要是你壓根兒不知道作者為什麼要寫這本書，你可能會遺漏書中最重要的構成部分。善於分析的讀者需要知道，為什麼這本書有這樣的架構。萬一他們不知道這本書的目的，就不會理解它的骨架。

然而，同樣重要的是，不要落入「意圖謬誤」（intentional fallacy），這是威廉．溫薩特（William Wimsatt）創造的一個術語。他認為我們在評價一部書面作品時，不應該對作者的寫作意圖做出錯誤的假設。[14] 老實說，除非作者明確說明，否則我們無從得知作者的意圖。

這條規則的重點是弄清楚作者提出的問題，他們如何設法提出這些問題，並試圖找到解決方案。讓我們以本書為例，寫這本書的初衷是什麼？答案，我們是為了奠定一些基本規則，幫助大家成為更好的讀者。這並不意味著，讀了就能知道作者在寫這本書時的想法，我們只需要了解他們寫這本書的目的。

第二階段：書的內容

這個階段中的每個規則，都有兩個不同的步驟。第一個步驟是處理語言／字詞和語法的問題，第二個步驟則是邏輯面向的，處理字詞的含義。在分析閱讀中，理解這一點非常重要。畢竟，沒有想法就無法使用語言，而沒有語言就無法交流想法。

規則⑤：找到重要的詞彙，並與作者達成共識，找出共通的詞意

假設你嘗試閱讀佛洛伊德的書，你需要理解他書中和理論中使用的重要詞彙，這樣才有辦法與作者達成共識，以利你解讀書中的內容。

你會在佛洛伊德的書中，找到「本我」、「自我」和「超我」這些詞彙。善於分析的讀者需要充分理解這些詞彙，才能懂佛洛伊德的精神分析

理論。因此，請不厭其煩地找出書中的重要詞彙，這有助於你辨識其中的意思，從而理解作者所說的話。

也就是說，首先，你要處理語言／字詞的問題，找出那些對於「理解書中資訊和邏輯思維」很重要的詞彙。

規則⑥：找出最重要的句子，並發現主旨

我們已經可以區分句子和主旨（proposition），但在這條規則中，句子是從語法的角度來看待，而主旨是從邏輯的角度來考慮的。我們需要找出作者提出的想法和論點，而這可以在書中的重要句子中找到。

讓我們以柏拉圖在《理想國》（*The Republic*）第一章中的這句話為例，來充分理解我們所討論的句子和主旨之間的區別：

克法勒斯，我最喜歡的事情莫過於和年長的人交談，因為我把他們看作是旅人，他們走過的路我也可能要踏上，我應該向他們詢問，這條路是平坦輕鬆的，還是崎嶇艱難的。[15]

從語法上看，這是一個單獨的句子，但在這個句子中，有幾個主旨：一、蘇格拉底喜歡與年長的人交談；二、他視他們為經歷過長途旅行的旅人；三、他認為自己可能要經歷類似的旅程；四、他應該詢問這趟旅程的情況。

理解這句話的關鍵，是用自己的話重述作者提出的主旨。一旦讀者能夠用一個句子來解釋別人提出的想法、論點或主旨，那麼就可以放心地假設他們完全理解了這句話。

規則⑦：建構論點，並將論點與句子連結起來

上述柏拉圖書中的句子提出了一系列主旨。然而，我們仍然沒有真正從他書中的一連串句子中，得到他的主要論點。找到重要的句子，並提取主要主旨後，就需要找到主要論點，並找到這些論點所在的句子。

一個論點可以在一個段落中用幾句話提出，也可以貫穿多個段落。善於分析的讀者必須理解這些論點，並將這些論點與解釋它們的句子連結起來。

因此，善於分析的讀者的任務是找到句子，並將句子按順序排列，以說明構成該論點的主旨。通常，作者會讓讀者相對容易地找到主要的論點，並將它們放在一兩個段落之內。

總結分析閱讀一本書的前兩個階段，我們可以看到，讀者在第一階段從綜觀整本書到掌握主要論點，然後在第二階段從主要詞彙和句子回到這些主要論點。一旦完成這兩個過程，讀者就可以自信地說，他們理解了所讀的內容。

規則⑧：找出作者的解答

既然讀者已經充分了解了書中的內容，和作者想要達到的目標，那麼善於分析的讀者就可以判定作者提出的解決方案。德國詩人兼評論家歌德為「建設性批評」列出了三個問題，[16]分別是：

一、「作者到底想做什麼？」

二、「他的計畫合情合理嗎？」

三、「他在多大程度上成功地執行了這個計畫？」

透過回答這些問題，讀者可以判定作者解決了哪些問題，以及哪些問題沒有解決。善於分析的讀者還可以判定，作者是否意識到自己並沒有完成所有的解答。

掌握第二階段的最後一條規則，能讓你進入分析閱讀的第三階段，也是最後的階段。這才是正確的批評方法，也是我們對書中內容發表意見的方式。我們可以討論這些想法，與作者爭論。總之，要與作者進行對話。

第三階段：評斷一本書

既然讀者已經對這本書進行分析閱讀了，他們就有權發表最後的意見。作者在這些篇幅中列出了他們想說的所有內容，提出了論點，並清楚地闡述了觀點。第三階段是善於分析的讀者與書本對話，也就是間接與作者對話的階段。

然而，這種談話需要按順序進行。讀者應該意識到，進行這種對話是有規則的。畢竟，我們讀的這本書的作者並不在場，無法為自己辯護。一般來說，與作者正確對話，需要遵循接下來的三個規則。

規則⑨：先理解，後爭論

在完全理解作者要說的內容之後，再與作者展開對話，也就是評斷這本書，這樣才是公平的做法。在理解一本書的內容之前，我們無法做出判斷，像是同意或不同意裡面的內容。

如果讀者不理解這本書，「不理解」這件事本身就是對書的批評。如果讀者認為這是書的錯，那就需要有論點來支援。是書的架構有問題嗎？是作者提出論點的方式有問題嗎？善於分析的讀者如果遵循上述規則，就可以找出不理解的原因。

但如果讀者理解且認同，那麼他們就成功地分析、讀懂了書的內容，並得到進一步的啟發。當你理解並贊同時，你的閱讀就大功告成了。但是，萬一你不以為然，在做出最終判斷之前，還需要考慮其他步驟。

規則⑩：不要爭強好辯

這是不言而喻的，即使你不同意作者所說的內容，也要尊重他人。與你面前的書爭吵，對你和作者沒有任何好處。善於分析的讀者是成熟、知性的。除了爭論或爭執之外，還有其他方式來表達你的意見，並與作者辯論，這是辯論的第一原則。

就拿尼采寫的書來說，你可能會因為持有某種政治立場或意識形態，而不同意他提出的觀點，但這並不意味著尼采的書對你沒有用。善於分析的讀者理解一本書，並找出共同點以及他們與作者意見不同的地方。無論讀者是否同意書中的每一個主張，用分析和明智的方式來閱讀，都不至於讓人放棄一本好書。

規則⑪：區分觀點與常識

當然，讀者可以對某個主題有自己的看法。但如果你想辯論，注意不要將自己的觀點、甚至作者的觀點，與常識混為一談。無論提出什麼主張，都需要有證據支持，或以實質的論證來反駁。畢竟，對於事物的「看法」都是有討論空間的，讀者可以同意或不同意作者所說的內容。

而觀點和常識之間的差異在於，論述方式的不同。另一方面，無論你採取什麼立場，都需要提出充分的理由，並以邏輯來支持你的論點。

而以下規則可以讓你有效提出此類論點。

規則⑫：指出作者對他們自己所說的內容，知識不足的地方。

規則⑬：判定作者在哪些方面，知識有錯誤。

規則⑭：顯示作者的主張在哪裡不合邏輯。

規則⑮：指出作者的分析是否不完整。

規則⑫至⑮是分析

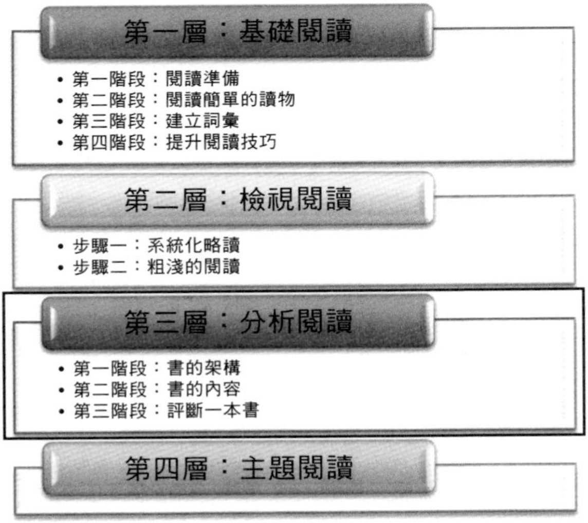

第一層：基礎閱讀
• 第一階段：閱讀準備
• 第二階段：閱讀簡單的讀物
• 第三階段：建立詞彙
• 第四階段：提升閱讀技巧
第二層：檢視閱讀
• 步驟一：系統化略讀
• 步驟二：粗淺的閱讀
第三層：分析閱讀
• 第一階段：書的架構
• 第二階段：書的內容
• 第三階段：評斷一本書
第四層：主題閱讀

閱讀層次與分析閱讀的三大步驟

閱讀的總結規則，它們是讀者做出批判性判斷時，需要遵循的準則。當你不同意作者的觀點時，請用充分的理由支持你的論點。作者是否（因為知識不足）在討論時，遺漏了重要的面向？他們是否（因為知識錯誤），提到了不正確的事實？作者的論點不合邏輯嗎？他們的分析不完整嗎？

透過遵循這三個階段及每個階段中的規則，善於分析的讀者可以全面、詳細地回答前述的四大問題，從而幫助他們理解正在閱讀的書。因此，讀者就會成為好的讀者，並且能夠以最好的方式閱讀並理解一本書。

第四層：主題閱讀

如前所述，閱讀的第四個層次實際上是對幾本書進行分析閱讀。主題閱讀的目標是要解決或理解自己設定的主題，並收集所有和主題相關的書籍。主題讀者可以對某個主題進行分析，而這種分析可能在他們閱讀的任何書中都找不到。

這就是學生寫論文需要進行主題閱讀的原因。無論他們的主題、甚至主修是什麼，博士生都需要在現有文獻的基礎上，就他們心中的主題添加一個想法、概念、理論或新的論點。他們首先需要做的是，找到所有已經討論過該主題的書籍，進行分析閱讀，並提出自己的看法。他們可能同意書中的一些觀點，但不同意其他觀點。

無論是否撰寫論文，主題層面的閱讀對讀者來說，都是最有價值的活動。知識分子可以從中得到許多好處，因此值得學習如何達到這種閱讀層次。

首先要做的，就是在腦海中找到幾本關於這個主題的書。為了有效做到這一點，讀者需要對幾本書進行檢視閱讀，以便做出選書的決定。在取得了這些書、而且也有把握它們討論的主題是你用得上的，就需要遵循五個步驟，來進行主題閱讀。[17]

步驟一：找到相關段落

與分析閱讀相反的是，這個閱讀層次會將你的焦點、意圖和目標，置於作者的焦點、意圖和目標之上。當然，你可以各別翻閱、並在第三個閱讀層次上讀每一本書。然而，這樣你就會把書和作者放在第一順位，把你要研究的問題放在第二順位了。

你提出的主題和問題，才是這個閱讀層次的主要目標。你需要檢查你面前的所有書籍，找出與你的疑問和關切的內容相關的段落。你不應將此類檢視與前面提到的第一種檢視混為一談。第一種檢視的目的，是先確定這本書是否與你的主題相關。一旦你找到了相關的書籍，你就要根據解決問題所需，再次檢視這些書籍。

當然，有經驗的讀者可以同時做到這兩點。因此，在檢視一本書是否適合自己的主題時，一旦發現合適，便可以自動開始尋找與心中主題相關的段落。

步驟二：帶領作者與你達成共識

在分析閱讀的第二階段，尤其是規則⑤，我們需要找到作者在書中使用的關鍵字，並與他們達成共識。然而，面對多位作者時，他們不見得會使用相同的詞彙，遑論有共識。在這種情況下，就要由你來建立起共識，並帶領作者與你達成共識。

在這個步驟中，你強迫作者使用你的語言，你並不一定要使用他們的語言。如果你確實接受其中某位作者的術語，你很可能會迷失，自己的問題也會與特定作者試圖解決的問題混淆。因此，在某種程度上，你必須將主題閱讀視為一種翻譯練習。你的目標是你的詞彙、你的問題和你的解答，而不是任何作者的詞彙、問題和解答。

步驟三：釐清問題

就像在對一本書進行分析閱讀時，必須找到作者的主旨一樣，在主題閱讀中，我們需要提出自己的主旨。我們需要提出問題並依序排列，以利找出解決方法。我們還需要系統性地提出這些問題，以便我們所選書籍的作者在某處能給出答案。這一步的主要困難在於，這些問題都是你對研究主題的疑問，而作者可能沒有提出這些問題。

讓我們以傅柯（Michel Foucault）的《瘋狂與文明》（*Madness and Civilization*）為例，這本書其實是傅柯自己的博士論文，他的主要問題圍繞在瘋狂及其在西方社會中的作用。[18]如果你有機會讀這本書，你會發現傅柯在西方社會的幾個文化中追溯了瘋狂的概念——這是他的主要主題。

他閱讀了許多歷史書籍、小說，以及在某個時期被認為是瘋狂的作家和名人的傳記。他閱讀的所有書中，並不是所有的書都能解答「瘋狂」這一概念是如何演變的，甚至可能都沒有觸及他的主題。歷史書的作者在詳細描述某個時期時，可能不會想到這個主題，但傅柯透過提出正確的問題，並在他閱讀的所有文獻中找到答案，從而提出了他自己對於這個主題的概念、詞彙和理論。

那我們可以問什麼樣的問題？順序又是怎樣的？當然，這一切都取決於你選擇的主題，但是對於問題的順序有幾個大致的準則：[19]

一、第一個問題涉及讀者正在探究的現象或主要觀點。

二、如果作者提到了這個觀點，我們可以進一步詢問，這個觀點是如何體現的。

三、最後，可以問關於回答前面問題，所產生的後果與影響。

必須注意的是，並非所有作者都會回答全部的問題。或者，即使回答了，他們的回答方式也可能不盡相同。由於每位作者都給出了自己的意見和答案，因此讀者的任務是達成共識。

步驟四：界定議題

如果你提出了適當的問題，而幾位作者以不同的方式來回答，那麼就會出現有關該主題的議題。在做主題閱讀的讀者，就要界定這個議題，因為這些作者彼此之間沒有對話。你把他們聚集在一起，讓他們「討論」你提出的問題。

在一個主題上，僅有兩種對立觀點的情況很罕見。事實上，你會對於自己選擇的主題，找到幾種不同的答案和觀點。這是因為每個作者對我們一開始提出的問題，各有不同的主觀看法。你必須記住，這些作者在寫書時，並沒有提出你所陳列的問題。因此，在做主題閱讀的讀者需要界定議題，而且可能會發現該主題的許多方面存在爭議。

你或許會發現，目前還沒有作者發現到此類爭議、或提出你的問題。因此，讀者的工作就是對這些爭議和議題進行整理和安排，從而提出討論。

步驟五：分析討論

在主題閱讀的前四個步驟中，我們已經完成了以下工作：

一、找到相關段落。

二、建立了我們自己的詞彙，並讓所有作者使用我們的語言。

三、按照一定順序提出一些問題。

四、根據作者對這些問題的回答，界定議題。

剩下要做的唯一一件事，就是再問兩個問題：「這是真的嗎？」和「那又怎麼樣？」[20]就像我們在讀懂書後，進行分析閱讀時所提出的問題。在這種情況下，唯一的區別是，按照特定的順序提出和回答問題，並堅守這個特定的順序。我們應該呈現問題的不同答案，並說明為什麼會這樣，我們還必須能夠在書中找到支持這個順序的特定段落。只有這樣，我們才能說自己已經針對問題的討論，做了適當的分析。

比起單純地得出結論，正確而透徹的分析可能有更多的好處，甚至為日後討論該特定問題的新作品奠定基礎。事實上，如果你想一想，要是沒有進行主題閱讀，我們一開始就不會閱讀這麼多的書。而且，這些書中的許多觀點一直都是彼此交錯、密切相關，且不斷發展的。

閱讀素養實戰訓練

以下練習圍繞著第二和第三層次的閱讀展開。請自由選擇任何你感興趣的書，來練習檢視或分析閱讀。但建議你在練習第三層次之前，先練習第二層次。

首先，請想好一個主題，前往當地的圖書館，試著找幾本你感興趣、關於該主題的書。再來，在第二個層次上閱讀這些書，也就是說，略讀這些書，讀幾個部分，然後決定你想把哪本書帶回家。一旦你決定了一本書，請試著遵循三個階段的規則，來對你選擇的書進行分析閱讀。

第一層：基礎閱讀
- 第一階段：閱讀準備
- 第二階段：閱讀簡單的讀物
- 第三階段：建立詞彙
- 第四階段：提升閱讀技巧

第二層：檢視閱讀
- 步驟一：系統化略讀
- 步驟二：粗淺的閱讀

第三層：分析閱讀
- 第一階段：書的架構
- 第二階段：書的內容
- 第三階段：評斷一本書

第四層：主題閱讀
- 步驟一：找到相關段落
- 步驟二：帶領作者與你達成共識
- 步驟三：釐清問題
- 步驟四：界定議題
- 步驟五：分析討論

閱讀層次與主題閱讀的五大步驟

從檢視到分析，讀出深度思考力

一、針對你感興趣的書，查看它的目錄頁和前言。

（一）確定書籍的類型，它是實用型，還是理論型？

（二）這本書的內容是如何組織的？

（三）作者寫這本書的意圖是什麼？

這個練習既是檢視閱讀的第一步，也是分析閱讀第一階段的一個環節。

二、拿起你上一本讀過的小說，再次檢視它，像第二層次閱讀那樣略讀一遍。試著看看書中內容是如何劃分的，並試著用一句話或最多一個段落，來陳述小說的情節。在快速翻閱的過程中，確定情節的主要部分，看看它們是如何組織的。

這樣做也有助於練習檢視閱讀，以及應用分析閱讀的規則②和規則③。

三、花時間拿起一本書來進行分析閱讀，確認這是一本論說性書籍，而不是小說，以便應用所有規則。然後，選擇一本你讀過的書，來練習應用規則。等到你對運用這些步驟和規則愈來愈得心應手後，再試著對一本新書進行分析閱讀。

在完全理解這本書後，記下你對這本書的分析：

（一）作者遇到的問題和解決方案是什麼？

（二）你同意，還是不同意作者的觀點？

（三）你不同意作者的哪些觀點？

（四）你為什麼不同意作者的觀點？

切記，提出的觀點都要有證據支撐。

本章小結

本章開頭這四位兄弟姊妹，分別是教師、醫科學生、心理學家和博士生，他們都在閱讀，或有與閱讀相關的職責與任務，但每個人的閱讀程度不同。如果你仔細想想，其實每個層次都需要了解、並精通前一個層次所需的閱讀技能。當然，每個人都知道如何進行基礎閱讀。心理學家珍懂得在檢視層面上閱讀，以選出有必要分析閱讀的特定書籍。傑克絕對知道如何透過分析閱讀，以進行主題閱讀。所有層次的閱讀都是累積性的，如果沒有成為當前層次的專家，就無法進入下一個層次。一旦你可以練習更高層次的閱讀，還會剩下一個問題，那就是：好的讀者怎樣才能好好地記住資訊？

關鍵要點

- 閱讀分為四個層次，分別是基礎閱讀、檢視閱讀、分析閱讀，以及主題閱讀。
- **第一層：基礎閱讀。**

第一階段：閱讀準備。

第二階段：閱讀簡單的讀物。

第三階段：建立詞彙。

第四階段：提升閱讀技巧。

- **第二層：檢視閱讀。**

步驟一：略讀或粗讀，這是指讀者快速瀏覽一本書，並且能夠了解這本書的類型、主題和主要架構。

步驟二：粗淺的閱讀，從頭到尾讀完一本書，不做任何停留，不思考細節。

• **第三層：分析閱讀。**

第一階段：書的架構。找出你正在閱讀的書籍類型、主要部分和組織架構，並確定作者提出的問題。

第二階段：書的內容。首先找到重要的詞彙與句子、並與作者達成共識，接著找出其中的主旨。然後，你可以架構出作者的論點，並確定他們是否成功解決了問題。

第三階段：評斷一本書。在做出判斷之前，確認你理解這本書，不要爭論，並區分知識和你的個人觀點。在你的批評中要說明作者是否知識不足、知識錯誤、不合邏輯，或分析不完整。

• **第四層：主題閱讀。**確定主題，檢視幾本書，挑選相關的書籍。

步驟一：根據自己的關注點、而非作者的關注點，進而找到相關段落。

步驟二：建立中性的詞彙，帶領作者與你達成共識。

步驟三：釐清問題，並按正確的順序排列。
步驟四：界定作者回答你的問題時，所出現的議題。
步驟五：開始對話，分析從你的問題中產生的討論內容。

第 6 章

成為一流的「解讀者」

文學解讀的主要目的是發現書中的意義。
當你閱讀和解讀時，任務不是在文本中找到正確的意義，
而是「創造意義的過程」。

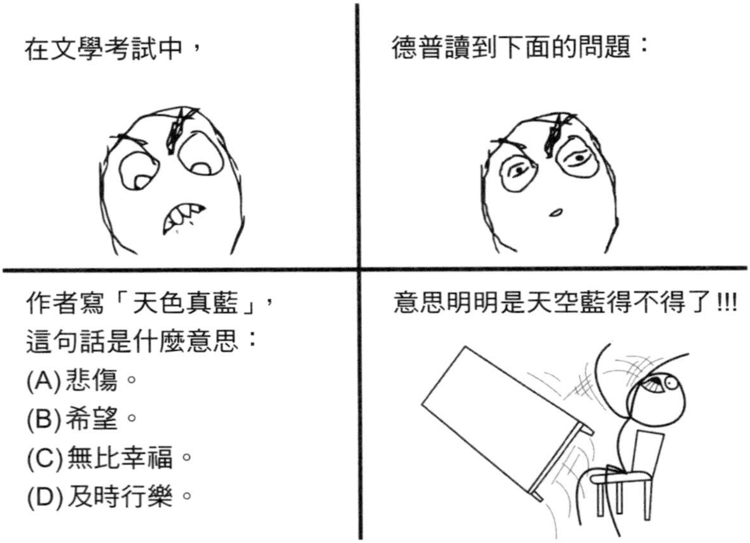
在文學考試中，
德普讀到下面的問題：
作者寫「天色真藍」，
這句話是什麼意思：
(A)悲傷。
(B)希望。
(C)無比幸福。
(D)及時行樂。
意思明明是天空藍得不得了!!!

連作者都不知道的答案

這個迷因梗描述了一個常見的笑話，我們許多人在高中語文課上都可能用過。當老師要求我們解釋一首詩、小說或任何文學作品時，許多人覺得很好笑，因為老師過度解讀了作者的話，而作者恐怕壓根兒沒有這樣想過。我們可以想像作者坐下來，讀著別人對他們的文本分析說：「原來我的意思是這樣啊！有意思！」

在講述如何記住文本中的訊息之前，需要討論閱讀的重要面向之一，那就是文學解讀。儘管我們在高中時都曾嘗試過解讀文本，但大多數人最終只是製作了像前文那樣的梗圖。這是因為許多人落入一個陷阱，試圖解釋作者的意圖來尋找文本意義，導致對作品探究過頭。[1]

然而，如果解讀得當，文學解讀是一個非常重要的方面。好的讀者需要知道什麼是文學解讀，為什麼文學解讀在閱讀一本書時有用，以及如何解釋文本才能讀得更好。

解讀，是為了「創造意義」

希臘哲學家亞里斯多德生活在西元前四世紀，他在著作《詩學》（*Poetics*）中試圖了解戲劇的運作方式，及其對觀眾的影響。在亞里斯多德之後，也出現了許多探討生活與文學之間關係的研究。而現在也有大量的批評流派和文學理論，專門用於批評和解釋文本。另一方面，在科學領域，新的理論通常會取代前人的理論，但在文學理論領域卻很少出現這種情況。[2]

文學理論的概念始於一九二〇、一九三〇年代，有關文本架構和形式的理論。[3]然而，我們現在的理論涵蓋了人們能想到的許多領域：從馬克思主義理論等政治理論到心理學理論，還有性別研究、種族和原住民研究、後殖民理論、進化文學理論，甚至最近還出現了「理論之死」的討論，這可能最終本身就是另一種理論。

如果考慮理論的本質，那麼嚴格來說，它是「一種思維方式」。實際上，理論思維本身就是一種思維典範，用於理解想法和概念，並將它們有意義地結合起來。[4]

討論文學理論需要用另一本書的篇幅。然而，我們仍然要問，文學理論和文學解讀的意義何在，它們如何幫助我們讀得更好？

在文學解讀中，你要探究的三大問題

如果你已經讀到這裡，你就會知道，要讀得更好和理解一本書，好的讀者需要提出問題。同理，說到文學解讀，也需要提出一些問題，有批判性思考的讀者應該嘗試在文學解讀中，探究以下範圍很廣的問題：[5]

- 這本書有道理嗎？
- 它提供了哪種解釋？
- 為什麼那樣的解釋有道理，而不是用其他表達方式？

這些問題與我們在進行批判、分析或主題閱讀時提出的問題，略有不同。然而，提出正確的文學解讀問題，對於「讀得更好」同樣重要。文學解讀的主要目的，是發現書中的意義。然而，當你閱讀和解讀時，任務不是在文本中找到正確的意義，而是「創造意義的過程」。[6]

你可能想不透，讀者如何為本應有意義的文本創造意義，所以這就是文學解讀很重要的原因。

文學解讀，為什麼重要？

在一九一二年，當時是根據古希臘悲劇作家索福克里斯（Sophocles）

的悲劇劇本《伊底帕斯王》（*Oedipus*），來詮釋莎士比亞的戲劇《哈姆雷特》。之後，範特斯拉博士（Dr. J. S. Van Teslaar）在他名為〈精神分析當代文學〉（*Current Literature of Psychoanalysis*）的文章中認為，《哈姆雷特》是建立在亂倫的幻想之上。他將哈姆雷特和他父親之間的競爭，與當時的家庭狀況連結起來，並認為這可以追溯到母系社會的家庭組織形式和宗族婚姻。他補充說，這就是神話中出現亂倫幻想的原因。[7]

大約六十年後，在一九七五年，耶魯大學精神病學教授西奧多・利茲（Theodore Lidz）在著作中指出，哈姆雷特在臨床上屬於瘋癲，因為情緒波動導致他憂鬱、判斷力受損和幻想破滅。[8]

又過了四十多年，到了二〇二〇年，羅德里・路易士（Rhodri Lewis）認為，哈姆雷特具有哲學深度，而且他「看透了個人和政治生活中明顯的腐敗」。他還說，莎士比亞筆下的悲劇英雄具有敏銳的洞察力，將對人類狀況的樂觀態度與「存在主義的噁心」（existential nausea，按：它指的是一個人在深入思考生命的固有無意義性或荒謬性時，所感受到的一種深刻、不安的不適或迷茫感）結合在一起。[9]

當然，對莎士比亞《哈姆雷特》的解讀還有很多，可以追溯到十七世紀。這些各異的解讀，來自不同的歷史時期和不同社會群體的讀者，這正是為什麼無法僅憑文本，就確定出單一、客觀的意義。這種解釋上的差異意味著，文本的含義取決於產生和解釋文本時的社會環境，以及讀者對文本添加的內容。

文學解讀的重要性遠不止於此，它不僅影響讀者或評論家對特定文本修辭的看法。事實上，這種修辭也有助於在社會中創造意義，並有利其在社會中的傳播。透過創造並解釋文本，我們實際上了解了世界以及我們在世界中的處境。[10]

為什麼我們不該問作者答案？

解讀一本書或任何文本，就是將其變成自己的東西，你將個人觀點添加到書面文字中，並為自己的解讀辯護。你閱讀和解讀的那本書融入了你所生活的社會，成為了你世界的一部分。那麼，如果讀者不試圖弄清楚為何天色真藍，他又如何解讀文學？

這個問題又回到了前面提到的「意圖謬誤」概念，在高中時，英文老師會問我們：「你認為作者的意思是什麼？」這裡的問題在於，作者永遠無法讓文本完全擺脫模稜兩可的情況。事實上，文學解讀往往超越了作者的本意。只要我們能夠支持自己的觀點，我們就有解讀的自由。[11]

值得注意的是，上述對哈姆雷特的解讀都沒有涉及莎士比亞的本意。小說、戲劇、詩歌或任何文學文本中的人物，他們與文本的敘述者和作者的感情是分開的。

人物是作者的創造，但不一定反映作者的觀點。否則，就不可能會有湯瑪士．哈代（Thomas Hardy）的《黛絲姑娘》（*Tess of the D'Urberville*）了，因為作者是男性，而主角是女性。即使文本使用第一人稱，敘述者也應被視為與作者不同的實體。[12]

七大面向，對於文本進行深入探討

如前所述，讀者需要提出一系列問題才能正確解讀文本。通常，大多數問題應該在你閱讀時自然而然地出現。好的讀者會在閱讀時提出問題，接著答案漸漸出現，然後他們再把答案與其他文本、以及自己的個人觀點連繫起來。

下面是眾多問題中的幾個，可以引導讀者對特定文本進行探究：[13]

關於文本

一、該文本是較大文本的一部分，還是完整的內容？
二、這個文本還有其他版本嗎？它們有何不同？
三、文本經過編輯嗎？是經過翻譯的嗎？

關於背景

一、文本是在何時何地、在什麼情況下產生的？
二、文本的目標讀者是誰？
三、作者是男性，還是女性？他們寫這個文本時幾歲？

關於敘述者

一、文本中誰在說話？
二、反映了誰的觀點？

三、該文本在向誰敘述？

關於用詞

一、文本中使用的所有詞彙，是否仍然具有與編寫文本之時相同的含義？

二、文本中句子的長度和複雜程度是否一致？如果不一致，是否有具體原因？

三、不同的敘述者在文本中，是否使用不同的方言或表達方式？

關於符號

一、文本中使用的名稱是指某些類型的人物嗎？

二、文本中的地點和背景是否象徵著什麼？

三、作品的名稱是否傳達了關鍵意義？

關於代表性

一、文本是否代表了其出版的時間和地點，或者主題是非典型的嗎？

二、文本是否代表了任何社會核心主題（種族主義、婦女議題、成就、滿足感等）？如果是這樣，你認為文本是不公正的，或有偏見的嗎？

三、討論的主題對你來說是新的嗎？

關於你的經歷

一、你是否在人物或事件中，發現了自己的影子？

二、文中發生的任何事情，是否與你自己的經歷產生共鳴？

三、文中是否有任何部分讓你感到冒犯、被排斥或難堪？

讓問題，引你前進

在閱讀書籍時，可能會有所發現、或產生質疑，而上述問題能作為參考和起手式。使用這一系列問題的最實用方法，是先閱讀文本，然後查看這些問題，看看是否有你可以回答的問題。在許多情況下，你不會用上所有問題、或不必全部問題問到完，這完全取決於你正在閱讀的文本。

瀏覽完這些問題後，其中一個問題可能會讓你注意到，自己在文本中遺漏的細節。這時候，你需要回頭再讀一遍，才能開始回答問題。而你會開始有意識地思考，透過推論得出答案。[14] 一旦你看完所有的問題後，回顧那些最吸引你的問題，讓它引導你對文本進行文學解讀。

閱讀素養實戰訓練

一、閱讀下面這首詩：

挑起白人的負擔——
派出你們最優秀的後裔——
打發你們的子孫遠赴異邦，
去替你們的奴隸服務。
身上套著沉重的馬具，
去伺候那些剛被抓到，
又急躁又野蠻，滿面陰沉，
一半像邪魔一半像小孩的人們。
挑起白人的負擔——

堅持著耐心，
掩飾恐懼的威脅，
並克制驕傲的表現，
用公開與簡單的語言，
不惜重複百遍說清楚。
去替別人謀福利；
去為別人爭利益。
挑起白人的負擔——
並獲得那昔日的獎賞：
不如你們的人責怪你們，
你們守護的人仇恨你們——
你們哄著成群的愚氓，
（啊，慢慢地）走向光明：
「為什麼把我們從奴役中解救出來，

我們熱愛埃及的夜幕沉重。」

挑起白人的負擔——

童稚的日子已經過去——

再沒有輕鬆獻上的桂冠，

再沒有口服心服的讚譽。

來吧，在所有徒勞的歲月裡，

喚起你的男子氣概，

忍受寒冷和得來不易的智慧，

你終將得到同輩的公允判斷！

——〈白人的負擔〉（*The White Man's Burden*）

二、瀏覽前文列出的問題，並確定哪些問題與文本相關。記下你腦海中出現的最重要問題，並嘗試在沒有任何關於這首詩的背景的情況下，回答這些問題。

三、這首詩的作者是魯德亞德・吉卜林（Rudyard Kipling），請閱讀下面這首詩的寫作背景。

一八九八年十一月，吉卜林把他的詩作〈白人的負擔〉寄給了他的朋友老羅斯福，當時老羅斯福剛當選紐約州州長。吉卜林的目的是鼓勵美國政府接管菲律賓（這是美西戰爭中獲得的領土之一），並以相同的精力、榮譽和仁慈來統治它。他相信這種特點，正是英國統治印度和非洲等有色人種地區時所具備的。九月時，他寫信給老羅斯福：「現在投入你所有的影響力，永久地控制菲律賓。美國已經把十字鎬插入了一棟爛房子的地基，她在道德上有義務從地基上重新建造房子，否則房子就會倒在她的耳邊。」——15

你對某些問題的解讀是否有變化？

四、吉姆・茲威克（Jim Zwick）撰寫了一篇名為「〈白人的負擔〉及其批評者」（*The White Man's Burden' and Its Critics*）的短文，[16]看完後可以了解更多有關這首詩的背景和隨後出現的批評。

〈白人的負擔〉及其批評者

作者：吉姆・茲威克

吉卜林的詩作〈白人的負擔〉於一八九九年二月發表在《麥克盧爾雜誌》（*McClure's Magazine*）上，正值美國國內對帝國主義辯論的關鍵時刻。美菲戰爭於二月四日爆發，兩天後美國參議院批准了《巴黎條約》（Treaty of Paris），正式結束美西戰爭，將波多黎各、關島和菲律賓割讓給美國，並將古巴置於美方的管轄下。儘管吉卜林的詩作中有對帝國的號召，也有對其代價的審慎警告，但美國國內的帝國主義者卻緊抓著「白人的負擔」一詞，將其作為支持帝國主義的委婉說法，並把這一政策正當化為崇高的計畫。對此，反帝國主義者迅速改編了這首詩，他們關注的焦點包括：菲律賓的新戰事；帝國主義者的虛偽，那些帝國主義者假裝自己的政策具有道德正當性，但實際上，那些政策是由對軍事力量和商業利益的貪婪，所驅動的；國內持續存在的種族和性別不平等；以及帝國主義給勞動人民帶來的特殊「負擔」。然而，這首詩並未被迅速遺忘。一九〇一年，在菲律賓經歷了兩年毀滅性的戰爭後，馬克・吐溫說：「白人的負擔已經被唱響，那麼誰來歌頌棕色人種的負擔？」一九〇三年十二月，菲爾普斯（C. E. D. Phelps）改寫這首詩，批評美國收購巴拿馬運河區的開發權。在後來關於美國干預美洲、以及美國涉入第一次世界大戰的討論中，「白人的負擔」這個概念也再度受到討論。

你對馬克・吐溫在這首詩出現的兩年後，所說的：「白人的負擔已經被唱響，那麼誰來歌頌棕色人種的負擔？」有何看法？

本章小結

「文學解讀」有助於讀者讀得更好。想想看，在高中時，我們都會仔細閱讀文章。那麼就算是在校園之外，當然還是能夠運用好的解讀方法。好的讀者在面對書籍時，始終都有重要的問題可以提出，同樣的原則也適用在文學解讀上。記住正確的問題，有了符合邏輯的答案，你可能會從文本中，找出連作者在寫作時都沒有想到的含義。文學解讀是使一本書歷久不衰的原因。無論一本書寫於幾百年前，好的讀者都可以創造新的意義，並把新的意義與他們的時代和環境連繫起來。

關鍵要點

- 文學解讀是要找出以下問題的答案：

一、這本書有道理嗎？

二、它提供了哪種解釋？

三、為什麼那樣的解釋有道理，而不是用其他表達方式？

- 閱讀不是在文本中找到正確的意義，而是創造意義的過程。
- 文本的意義取決於文本創作和解釋時的社會環境，以及讀者對文本添加的內容。
- 當你閱讀文本時，你提出的問題將圍繞著文本本身、脈絡、敘述者、文本中使用的語言、符號、文本的表現形式，以及文本與你的關係。

- 並非所有問題都適用於所有文本。文學解讀是要回答與文本相關的問題，並找到當中與自己相關的意義。

第 7 章

「輸出」，是最強的記憶術

分享資訊是理解和記住所讀內容的絕佳方式。
而且，想與他人分享和討論事情的心，
也會讓你更有動力去記住讀過的內容。

「我不太記得內容是什麼了……」

湯尼一邊喝著咖啡，一邊看著兒時的朋友伊恩，伊恩正忙著往自己的杯子裡加第三匙糖，湯尼說：「好久沒有機會敘敘舊了！」

「你指的是好久沒有見面了吧！天啊，這場疫情讓我們吃了不少苦頭！」伊恩一邊回答，一邊攪拌咖啡，並喝了一小口，看看夠不夠甜。

「真不敢相信你還加那麼多糖，這對身體不好。而且，你永遠不知道情況會不會變得更糟，最後連糖都很稀缺了。」湯尼憂鬱地說。

「嘿！兄弟，振作起來。我知道現在有很多問題，像是：烏俄戰爭、疫情的後遺症、政治動盪、物價飆漲……但是這並不代表我們要放棄用糖！」伊恩笑著，試圖從他們過去幾年的經歷中找出積極的一面，但徒勞無功。

「是啊，誰能想到幾年前人們還會搶購衛生紙？對了，你有傑瑞米的消息嗎？我聽說他被診斷出有慢性憂鬱症。」

「是啊，情況愈來愈嚴重了。老實說，不管你信不信，我們僅僅是為了跟上大環境的變化，就陷入了低潮。至少我們還有工作！全世界都在蕭條！」伊恩絕望地舉起雙手。

「你知道嗎，我剛剛想起，我在封城期間讀過這方面的書。說起來，那本書的書名是《1929-1939年世界經濟蕭條》（*The World in Depression, 1929-1939*），主要討論始於一九三〇年代、失落的十年的原因。」湯尼說著，又喝了一小口咖啡。

「有意思！那麼，原因是什麼？也許我們偶爾也得從歷史中學到教訓。」伊恩問道，同時感興趣地身體前傾。

「有很多種說法，有人說蕭條起源於歐洲；有人說起源於美國的通貨膨脹。實際上，這是非常有趣的先有雞，還是先有蛋的問題……我真的不記得書裡到底說了什麼，但是那本書在講當時的金融狀況。我記得聽起來和我們正在經歷的事情非常相似。」湯尼遲疑地說。伊恩再次舒服地靠回椅子上，挖苦地回答：「是的，聽起來很有意思。這確實讓人獲得啟發……也許我應該讀讀這本書。」

「你該去讀的，真的很有趣！」

伊恩調侃道：「如果你記得內容的話，我們的談話就會有結果了！」兩人一起笑，又喝了一口咖啡。

大腦喜歡這樣記

我們遇到過多少次類似的問題？我們讀到了讓人感興趣的內容，很樂意與他人分享，但又似乎想不起所有的細節！本書的目的，是為了讀得更好。為此，我們需要更好地理解所讀的內容。但如果無法回想起這些資訊，那麼「理解」還有什麼意義？

科學家根據記憶在腦海中持續的時間，對記憶進行分類：瞬間記憶持續幾毫秒，工作記憶持續一分鐘左右，長期記憶持續一小時到幾年不等。

由於我們的目標，是保留所閱讀的資訊，因此需要將這些資訊存入長期記憶中。畢竟，這樣才能回憶起這些資訊。

「鞏固」是指將工作記憶轉換為長期記憶的過程。而實務中，如果在自己能夠理解的脈絡下學習資訊，或者如果資訊具有重要的情感意義，我們就能把記憶鞏固到最好。[1] 那麼，湯尼如何從他讀過的書中記住這部分內容？

與第一次世界大戰一樣，拿破崙戰爭之後，一八一六年出現了短暫而急劇的通貨緊縮，情況與一九二〇年至一九二一年相仿，隨後是一段貨幣調整時期，最終英鎊在一八一九年和一八二一年恢復到戰前的水準。之後，從一八二一年到一八二五年，外國貸款激增，接著是一八二六年股市崩盤和經濟蕭條。如果將一九二〇和一九三〇年代的重大經濟事件減去一百年，再加上三到五年，就會發現有趣的相似之處。一八二六年的經濟大蕭條，可能不像隨後的一八三七年和一八四八年、或一九二九年的情況那樣嚴重，或波及範圍廣泛。但事件出現的時間序列，卻驚人地相似。[2]

如果湯尼真正理解這段話的脈絡，或這段話對他來說具有重要的情感意義，那麼他會很容易記住這段話中的所有細節。因此，如果他對經濟學非常了解，或者如果他的祖父在大蕭條期間失去了所有財產，他就能夠回憶起這些資訊。但是，如果湯尼不是經濟學專家，也與他所讀的內容沒有情感上的連結呢？

首先，需要了解記憶如何發揮作用，才能找到正確的方法，來增強記憶鞏固的效果。我們還需要考慮到記憶的局限。人腦有能力記住大量詳細資訊，但卻不擅長回憶冗長的不相干數字和許多無意義的單字。

究竟，閱讀新資訊時，如何鞏固記憶？答案是，我們需要根據大腦記憶系統的優勢，來制定學習策略。[3] 因此，我們可以對閱讀的內容產生情緒反應（例如，這本書的主題可能是我們非常關心的內容），或者將內容放在我們真正理解的脈絡中。

找到喜歡的學習方式，記住資訊就更簡單了！

學習是一個因人而異的過程，從個人經驗到個性特質，許多變因都會影響每個人的學習方式。在深入研究如何增強記憶功能和學習記憶技巧之前，首先需要了解不同的認知學習方式，並確定自己最適合哪一種。這些認知學習方式指的是，人們偏好以何種方式接收新資訊，並成功地處理、吸收和回憶這些資訊。[4]一旦人們確定、並開始使用自己喜歡的認知學習方式，他們就會把觀點放在自己理解的脈絡中。

你擅長記畫面、用耳朵聽，還是喜歡以實際操作來記憶？

學習者分為三種：視覺學習者、聽覺學習者、動覺學習者。[5]當你使用個人化的學習技巧來處理新資訊時，你就能夠更有效地學習、更順利地回憶起資訊。儘管學習風格並不是絕對的，有時會受到某些條件的主觀影響，但值得試著找出，你認為能幫助你更好記憶的學習風格。

視覺學習者：視覺學習者在小時候通常會對顏色、形狀、圖畫書和動畫著迷。所有視覺學習者在看到、或將資訊視覺化時，記憶力最好。他們大多對世界的美和美學有著敏銳的認知，能夠輕鬆理解和回憶圖片、圖表和示意圖中顯示的資訊，或是他們通常會在腦海中建立起資訊的畫面。

聽覺學習者：聽覺學習者從小就會不停地說話、不斷唱童謠、喜歡提問。他們通常具有聽音樂的好耳朵、很強的語言能力，和很好的口語溝通能力。他們透過聽別人解釋某事來學習，並且很常參與討論，因為他們可以用自己的說詞解釋，來記住資訊。

動覺學習者：年幼的動覺學習者總是精力充沛。他們會不停地跑、跳、拆解東西，並嘗試製作新的東西。他們很少能坐得住，擅長動手操作，並且通常對身體動作掌握得很好，也能精準掌握時間節奏與肢體律動間的協調性。動覺學習者在閱讀或聆聽新資訊時，會踱步、使用手勢，或站在黑板或其他大平面前學習。

三大輸出技巧，讓閱讀成果最大化

以下許多策略涉及使用一種以上的學習方式。但是，利用更多的感官管道來處理資訊，會在記憶中留下更深刻的印象，因此你將能夠更快地回憶起這些資訊。[6]話說回來，一旦你確定了你的認知學習技巧，就能夠專注於最適合你的感官管道。

在討論每種技巧之前，我們需要充分了解自己需要記住的資訊。當然，作為讀者，你的目標並不是記住書中的每一個細節。通常，書中給出的某個細節或例子會留在我們的記憶中，是因為我們有所共鳴，而且它能激發我們的情感。但是，有些事實即使沒有引起我們的情感共鳴，也是值得記住的。

我們已經討論了閱讀的各個層次，並指出「分析閱讀」是最好的閱讀方式。在這個層次的閱讀中，讀者主要嘗試回答圍繞著書籍主題，以及作者如何組織主旨、論點和結論的問題，而這些問題的答案包含值得我們長期記憶的資訊。

做筆記，真正將知識內化

當你閱讀一本書並想要記住其中的資訊時，做筆記是一個好方法。在分析層面上閱讀時，第二階段包括找到重要的詞彙來解釋內容，建構作者的論點，並將它們與最重要的句子連結起來。這個階段是開始做筆記的好地方，有助你於記住並成功完成第三階段（評斷一本書）。

做筆記是很好的記憶方式，因為每當你寫下某事時，它最終都會被封存在你的記憶中。一般來說，筆記應該是讀者在閱讀一本書時，提出的主

要問題的答案。你的筆記通常應該涉及以下內容：[7]

- 辨識並解釋關鍵術語。
- 列出主旨。
- 列出所有主要的支持論點，但不列出次要的支持論點。

本書每一章的「關鍵要點」，就是做筆記的一個例子。當你閱讀時，你應該以類似的方式記下主旨。

然而，有時一本書提供了許多想法，僅僅列出一個清單可能不足以表達該書所討論的內容。在這種情況下，列出大綱會更有幫助。大綱比筆記更有架構，可以幫助讀者記住觀點，以及觀點之間的關聯。大綱應該大致像這樣：[8]

一、主題或題目

（一）主要觀點

1. 主要的支持論點

（1）次要的支持論點

（2）

（3）

2. 另一個主要的支持論點

（1）次要的支持論點

（2）

（3）

諸如此類。有時，一本書可能會在一個更大的議題下，討論多個主題或題目。而以這種方式寫下大綱有助於整理所有的觀點，並將它們連結起來。

對於這三種類型的學習者來說，做筆記都是很好的工具。視覺學習者會將大綱或筆記的畫面印在記憶中，以便記住。聽覺學習者可以在做筆記時或做筆記後，大聲朗讀筆記。動覺學習者可以把筆記寫在黑板上，或把一項一項的大綱分別寫在不同的紙上，然後他們可以在桌子上移動紙張，將它們連接起來，訣竅是使用誇張的手勢來幫助記憶。

複述與分享，讓閱讀更有樂趣

如果當初湯尼在讀完那本書、甚至是在他發現有趣的段落後，立即打電話給伊恩，並用自己的話告訴他，兩年後他就能記住這些細節了。與其他人分享你發現的資訊，是將資訊保留在長期記憶中的好方法，也是另一種記憶技巧。

這種方法有助於鞏固記憶，因為它的關鍵在於複述資訊，從而將其牢固地保存在你的長期記憶中。為了成功地運用這項技巧，需要盡可能複述

資訊。而在應用上，可概略分為三大階段：[9]

一、讀完後，第一次複述是用自己的話複誦內容。如果你有意分享書中的觀點，就可以開始練習傳達自己想說的話。在這個階段，你可能需要回到書中，仔細檢查你是否完全理解。如果不這樣做，就無法用自己的話清楚地表述。

二、第二階段的複述練習，可以依個人需求，反覆演練。等到你成功輸出書中的觀點後，接下來就要在手邊沒有書本的情況下，持續練習輸出。這有助於你牢記這些資訊。即使日後遇到想分享的對象，你也會有把握自己會說些什麼。

三、下一階段是實際與他人分享資訊。分享完後，對方說不定會提問。而這種互動，是最能讓你深入思考閱讀內容、把事情理解透徹的管道。

「分享資訊」是理解和記住所讀內容的絕佳方式。而且，想與他人分享和討論事情的心，也會讓你更有動力去記住讀過的內容。

你可以根據需要，重複練習每一個複述階段，包括在不同的時間與許多人分享資訊。這也是與不同人討論想法的機會，為你的閱讀增添新的視角。有人可能會提出你沒有想到的問題，這會增加閱讀和獲得知識的樂趣。

不同的學習者如何進行複述？顯然，聽覺學習者可以總結想法，並大聲說出來。視覺學習者可以在練習複述時，畫出圖表和示意圖，這些資訊將透過他們大腦中的思維畫面反映出來。動覺學習者可以在來回踱步、或開車時大聲說出資訊，或是寫下來。

運用心智圖，順利從書中提取重要概念

東尼・博贊（Tony Buzan）在一九六〇年代提出了心智圖的概念，[10]

讓讀者能順利從書中提取重要概念，並以讀者理解的方式將重要概念連繫起來，最終鞏固記憶。

心智圖，是一種針對核心關鍵字或概念，去統合整理詞彙、想法與相關項目的圖解，並以輻射狀連接每個關聯項目。[11]博贊對心智圖的定義如下：

> 心智圖把大腦皮層的所有技能——文字、圖像、數字、邏輯、節奏、色彩和空間感，都整合到一種獨特而強大的技巧中。這樣一來，你就可以在大腦的無限廣闊中自由遨遊。[12]

心智圖的範例，請參考下頁的圖。[13]

正如你所看到的，這是關於時間管理的心智圖。如果你看不太懂，那是因為每個心智圖都是針對個人的，只有創作者自己才能完全理解，除非他們跟你解釋。如果這是你第一次接觸心智圖，你可能會想：既然還有其他技巧，那麼讀者花時間繪製這樣的心智圖有什麼用？答案是，這項技巧包含了前兩種方法。如果你沒有做一些筆記作為依據，就無法繪製心智圖。再來，你可以透過查看心智圖，來練習複述。

為什麼我們需要心智圖？有什麼好處？

以下是使用心智圖的優點：[14]

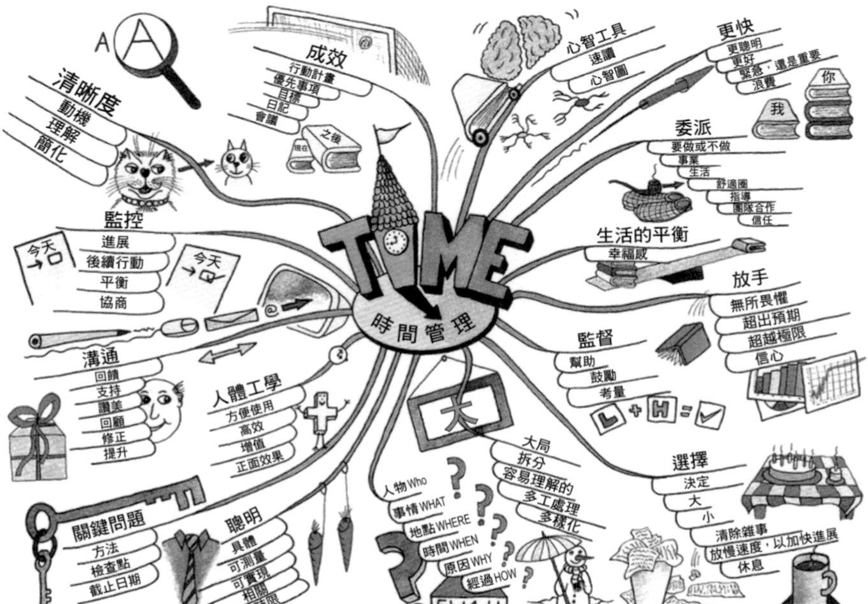

• 繪製心智圖的過程，比單純寫下想法、建立表格或制式圖表還更有趣、更好玩。

• 與制式的筆記相比，心智圖的視覺化特性，可幫助創作者以更簡單的方式辨別、澄清、分類、總結、鞏固、突顯和呈現主題的架構概念。

• 最重要的是，心智圖有助於回憶資訊，因為所建立的聯想反映了我們大腦的運作方式。實際上，比起記住冗長的筆記，記住圖像和關鍵字會容易得多。

• 心智圖簡潔明瞭，沒有多餘的文字，使用上非常靈活、有彈性，也可以包含數頁的資訊。

• 心智圖可以找出資訊的缺口，並清楚地顯示關鍵問題。

三步驟，拆解心智圖的技術

繪製心智圖主要分為三個步驟：[15]

一、**確定關鍵字**：我們在有效的閱讀中已經做到了這一點。

二、**從這些關鍵字延伸出各個主要分支**：你可以從這些主要分支再延伸出次要分支，並添入更多文字，引導你記住圍繞關鍵字的想法。

三、為每個詞彙繪製**簡單的圖示**，並用**不同顏色**區隔。（可選要不要這麼做。）

而本章的「關鍵要點」會以心智圖的形式列出，供你在繪製心智圖時參考。另一方面，所有類型的學習者通常都喜歡繪製心智圖：視覺學習者能回憶起它的樣子；聽覺學習者透過說出關鍵字和造句，來解釋其中的關聯，以記得更牢；動覺學習者可以一邊瀏覽心智圖，一邊用手按圖索驥。

閱讀素養實戰訓練

如果你最近閱讀了任何你感興趣的內容，無論是一本書，還是一篇文章，你可以嘗試前文提到的三種技巧，來練習記住資訊。

建議你可以看看湯尼讀過的那本書《1929-1939年世界經濟蕭條》（按：讀者若有興趣，可參照現有簡體中文版《1929-1939年世界經濟蕭條》，上海譯文出版社），[16]並閱讀前言。

- 在閱讀過程中，利用筆記、列出大綱、複述和繪製心智圖等方法。

你不必將前言中的所有資訊，都記在筆記或心智圖中。

- 練習這些技巧，看看是否能讓湯尼和伊恩之間的對話更進一步。
- 完成後，試著與某人討論，並在不參考筆記的情況下，告訴他們你讀過的內容。

關於要記住什麼樣的內容，請先想想看以下幾個問題：

- 經濟學家認為，造成一九三〇年世界蕭條的大致原因是什麼？
- 兩大爭論不休的理論陣營，分別是？
- 你能解釋一下湯尼試圖解釋的先有雞，還是先有蛋的問題嗎？

本章小結

儘管湯尼很興奮地要分享他在書中讀到的資訊，但卻力有未逮。這是因為，他無法及時回憶起他所讀過的重要資訊。然而，「能夠記住內容」是把一本書讀得更好的重要環節。如果湯尼無法運用和分享他所學到的知識，那麼他閱讀和理解這本書又有什麼用呢？

重點是，每個讀者都要了解自己大腦的運作方式，以及如何增強記憶力，以便更好地利用記憶技巧。而有效閱讀的另一個重要面向，是建立閱讀詞彙。一本關於閱讀的書，必須觸及到這個關鍵議題才算完整，所以這是下一章的重點。

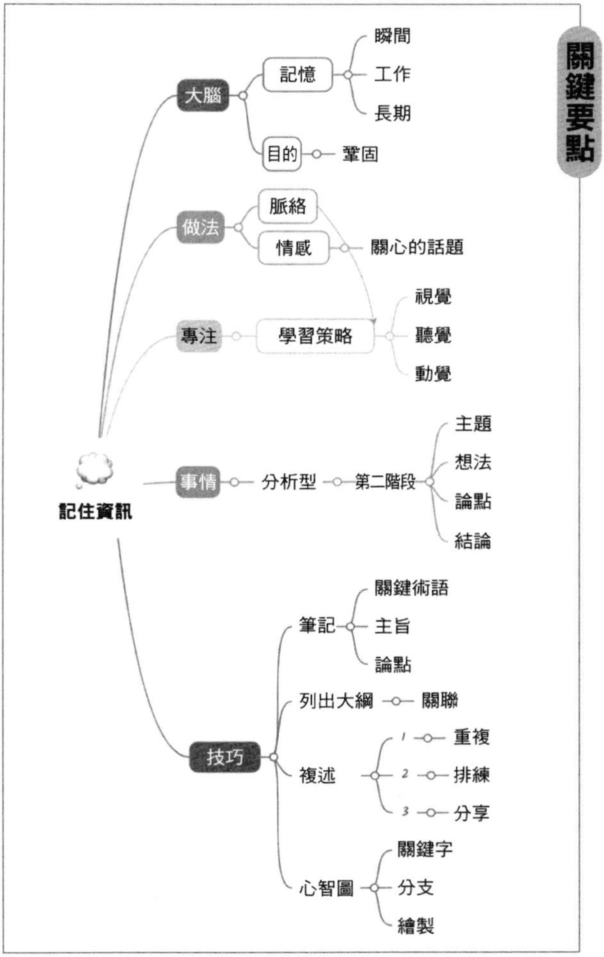
關鍵要點
記住資訊
大腦
記憶
瞬間
工作
長期
目的
鞏固
做法
脈絡
情感
關心的話題
專注
學習策略
視覺
聽覺
動覺
事情
分析型
第二階段
主題
想法
論點
結論
技巧
筆記
關鍵術語
主旨
論點
列出大綱
關聯
複述
1
重複
2
排練
3
分享
心智圖
關鍵字
分支
繪製

第8章

用閱讀，鍛鍊你的「詞彙力」

閱讀得愈多，我們能夠建立的詞彙量就愈多。
而從上下文找出詞彙的意思，
是充分理解詞彙並增加知識的最佳方式。

一小滴墨水，讓百萬人思考

但文字帶有力量，一小滴墨水，
像露水一樣滴上了一個概念，
就產生了讓成千人，甚至數百萬人思考的東西；
奇怪的是，人類使用寥寥幾字代替語言，
就可能流傳千古；
而時光把脆弱的人消磨殆盡，
即使是像這樣破舊的一張紙都存留下來，
比他自己、他的墳墓，以及他的一切都更持久。

——拜倫，《唐璜》（*Don Juan*），第三篇

伊麗莎白闔上書本，思考她讀到的內容。她一直喜歡閱讀，這部分內

容讓她不禁思索閱讀的本質，「這麼一小滴墨水，會讓成千人，甚至數百萬人思考。」她想，說得沒錯，文字有魔力、是永恆的，它們使書籍永垂不朽，一切都與文字有關。她微笑著，感覺自己在用文字思考！如果沒有文字，我們會是什麼樣子？動物沒有文字，是如何溝通的？是文字讓我們與眾不同，是文字讓我們統治地球！

世上有多少個字？我們可以組成多少種詞彙組合？這個簡單的想法讓她著迷！「還有多少單字是我不認識的？」她皺起了眉頭。「我怎麼知道是否有我不認識的單字呢？」她站起來，走向書架，拿起了字典，困惑地看著。字典很大一本！她把字典放在一邊，拿出手機，用Google搜尋：「牛津字典的篇幅有多大？」兩萬兩千頁，六十萬個單字，這讓她很吃驚。「我想沒有人認識六十萬個單字！沒人做得到！也許除了那些編撰字典的人？」她翻開了字典，隨手翻看了幾個字：無政府主義者（anarchist）、無政府狀態（anarchy）、令人厭惡的事物（anathema）、解剖學家（anatomist）、解剖學（anatomy）。有一個詞彙對她來說尤其陌生，她讀了一下詞條：

Anathema（中文：令人厭惡的事物），名詞。

/ə'næθəmə/

你憎恨的事物或觀念，因為它與你的信念相反。

Racial prejudice is (an) anathema to me. 種族偏見令我厭惡。

她覺得很有趣。她在字典的第一頁就發現了一個新詞彙，所以一定還有很多她不知道的詞彙。身為文字世界的新手愛好者，她感到有些不知所措。畢竟，打開字典，用閱讀詞彙的方式來學習，不太實際。「我只要接觸到新詞彙，就會忘記前一個詞彙！」她無奈地嘆了口氣，又回去看《唐璜》。

累積詞彙，比你想得還重要！

文字，是我們與周圍人溝通的基礎。而它更穿越古今，透過古人的書寫創作，我們得以與古人心神交會。閱讀和詞彙是相輔相成的，因為你所讀到的畢竟都是詞彙的集合。事實上，建立詞彙是我們一生中要持續發展的技能，永無止境。[1]

要成為優秀讀者，很重要的一點是，要不斷累積閱讀詞彙。畢竟，豐富的詞彙不僅有助於我們理解複雜的文章，成為更好的讀者，而且有助於我們撰寫此類複雜的文章，以及進行言詞流利的口頭交流。[2]

由於你的目標是成為更好的讀者，你可能會讀很多書，遇到一些你不認識的詞彙。但就像伊麗莎白與我們分享了她一小部分的意識流一樣，你可能會對不認識的詞彙數量感到絕望。

在遇到不熟悉的單字時，我們通常會做的就是查字典，或者根據上下文，就足以推斷出句子的含義，不必中斷閱讀。然而，在弄清楚某個詞彙在特定語境中的含義後，你可能會在另一個語境中遇到它，然後還是需要輔助，才能釐清它這時的含義。究竟，該怎麼提高詞彙量，並為我們的記憶庫添加更多的詞彙？

理解詞彙，從基礎開始

在討論理解詞彙的不同方法之前，讓我們先從最基礎的部分開始。什麼是詞彙？簡言之，就是文字的知識。[3]我們需要這些詞彙，才能理解所讀到的內容。當我們試圖理解一個詞彙時，首先想到的就是找出它的同義詞，來理解它的含義。

《牛津英語字典》的編輯詹姆斯．莫瑞爵士（Sir James Murray）在一八八四年版字典的前言中繪製了一個圖表，說明了核心詞與延伸詞或同義詞之間的關係架構。下圖給出了主要框架，使我們能夠按照基本、多層次的用法架構，從文學到俚語，對不同種類的詞彙進行分類。[4]

如果以莫瑞的示意圖為例，來說明某個概念，就能夠為該概念建立一個「語義場」，或若干同義詞。下頁的圖說明英文「懷孕」(pregnant）一詞的領域，並根據示意圖，給出了幾個同義詞。

當然，還有更多完全適

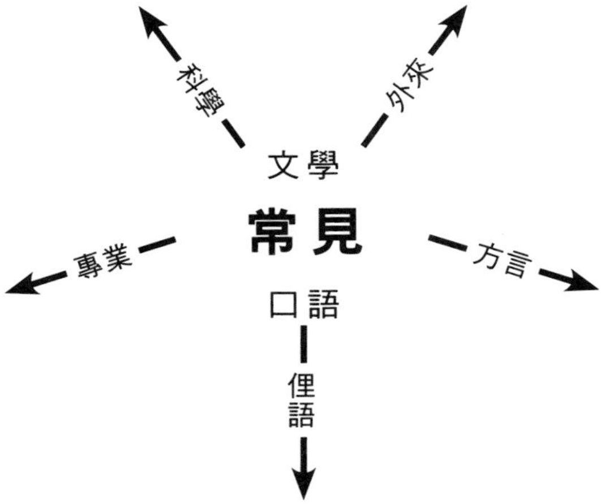

詹姆斯·莫瑞爵士的詞彙架構

合該圖表的詞彙。例如，「expecting」（待產）是比「pregnant」稍微含蓄的說法；「a bun in the oven」（字面意思為烤箱裡的小圓麵包，指有喜了）比「up the spout」（這是英國俚語，表示懷孕）更為口語；而「impregnated」（受孕）則更常見於書面、而非口語，可以與「parturient」（產婦）一起歸入科學術語。

這個分類對於詞彙知識有幾個價值：[5]

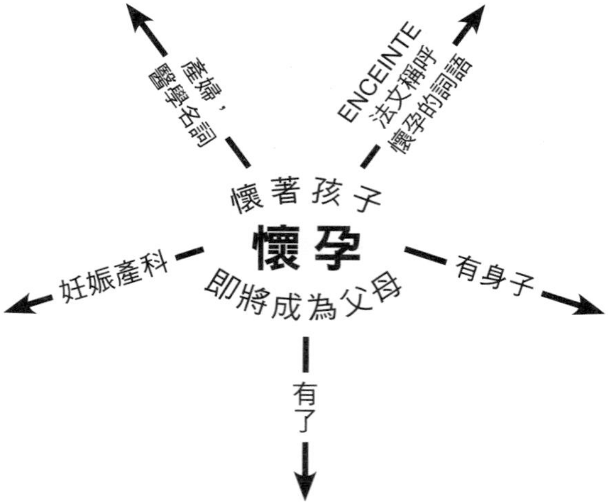

「懷孕」（pregnant）一詞的語意場

一、有助於突顯特定詞彙的同義詞，同時定義這些同義詞的不同用法。儘管上述所有詞彙都是指懷孕，但並非所有詞彙都能在任何情況下交替使用。

二、說明不同類別的詞彙，區分了科學詞彙、口語詞彙和專業詞彙。

三、「方言」這個欄位很重要，因為它的用法會依地區而異。例如，「knocked up」是僅限於美國的道地口語，表示懷孕了。

除了字詞含義，還要注意……

這個示意圖幫助我們弄清楚一個詞彙、或其語義場的許多同義詞，但詞彙的知識所包含的遠不止字詞含義，還包括以下內容：[6]

- **音韻**：字的發音和讀法。
- **構詞**：詞彙的架構或組成詞彙的各個部分。

- **文法**：單字在句子中的類別、形式和功能。
- **語義**：單字的意思有時會根據上下文，以及單字與其他單字的關聯而改變。
- **句法**：單字的排列方式，使單字能夠組成句子。

在理解一個新詞彙時，應該注意上述所有細節，而不僅僅是這個詞彙的意思。這是因為同一個詞彙在不同的上下文中，可能有不同的含義，無法單靠同義詞，就全盤理解字詞的意思。

舉一個簡單的英文字為例，在不同的上下文中，我們都可以明確辨識它的意義。比方說，很多人都知道lost的意思，在各種語境中，我們都可以輕鬆理解它的含義：

He lost his book.（他「弄丟了」書。）

He was lost.（他「迷路了」。）

The Rams lost the Super Bowl.（公羊隊「輸掉了」超級盃。）

She lost her mind.（她「失去了」理智。）

They lost their cool.（他們「失去了」自制力。）

He just lost it.（他簡直「抓狂了」。）

Get lost.（「滾開」。）

在每個句子中，「lost」的意思都有所變化。既然是同一個字，那麼它的發音和詞形都是相似的，但它在每個句子中的文法、語義、句法都不同，而我們可以理解每句話的差別。那我們如何能以類似的方式，理解新的或更難的單字？

無庸置疑，閱讀得愈多，我們能夠建立的詞彙量就愈多。這是因為，有閱讀習慣者通常會比那些不閱讀的人遇到更多的單字。當他們在不同的語境中反覆遇到單字時，就會累積更多的詞彙量。[7]

兩大方法，學習新詞彙

想要學習新詞彙時，我們主要運用兩種不同的方法：[8]直接學習和間接學習。從小學高年級開始，我們透過直接教學（即告訴我們單字的意思）、從上下文中學習（即間接學習）或兩者的結合，來獲得新詞彙。

直接學習

在學生時代，我們在英文課中都上過詞彙課程。這是一種直接的學習方式，老師教授單字課程、同義詞練習、單字分類、定義和造句練習。許多研究提供的證據顯示，儘管這種學習方法在一定程度上是成功的，但「直接教導單字」是否是兒童詞彙量增加的主要原因，還大有疑問。

這可能就是為什麼我們在字典中讀到單字的定義後，往往會忘記它的意思。到頭來，伊麗莎白的絕望在某種程度上是有道理的。翻開字典，讀到一個陌生詞彙的定義，然後就認定自己學會了一個新詞，這實際上是不可能的。這個詞及其定義只儲存在我們的短期記憶中，僅僅讀完定義，是不能鞏固記憶的。

間接學習

學習新詞彙的第二種方法是間接發生的，也就是從上下文推導出詞彙的意思。然而，很少有經驗證據能證明，人能從「情境的體驗」（contextual experience）中學習到新詞彙。這是因為要準確測量其有效性，有點困難。

儘管如此，一項研究顯示，在英文為母語的國家中，由於學校英文課本要求學生掌握大約八萬八千五百個不同的單字，因此實際上不可能透過直接教學或查詢字典，來學習這些單字。因此，唯一合理的論點，是學生透過上下文推理，來學習足夠數量的單字。[9]

如何成為「上下文推理高手」？

成年人需要使用直接和間接這兩種方法，來學習新詞彙。顯然，我們都知道字典的使用方法，這就是直接學習。然而，正如研究顯示的那樣，查字典或由別人告訴我們詞彙的意思，並不一定能幫助我們學習這個詞彙。間接學習是一種基本方法，讓人能夠將新單字從短期記憶轉移到長期記憶中。那我們要如何才能成功地從上下文中推斷出詞意？

所謂的「上下文」，包括……

首先，我們來了解**上下文**的含義。文章中的上下文包括：該文章中的句法、構詞和言談訊息，但還有一個更廣義的上下文，指的是讀者在處理文章時的背景知識。[10]這種背景知識是文意理解的重要部分。[11]

優秀的讀者在閱讀時應該要持續運用所知所學，以推測可能遇到的詞彙類型。[12]在一項旨在監測背景知識影響的實驗中，研究人員在學習者閱讀文章之前，提供了一些有關文章主題的資訊，這個做法有助於讀者正確猜測文章中，許多無意義詞彙的含義。[13]

有幾項研究，衡量從上下文中找出詞意的有效性，優秀的讀者能夠猜出文章中六〇%到八〇%的未知詞彙。[14]話說回來，要從上下文中猜測出詞彙的意思，需要精確的策略，這樣才能成功地推理出不熟悉詞彙的意思。

五大步驟，從上下文推測詞意

以下步驟可以幫助讀者充分利用上下文線索，透過間接的方式來理解詞彙。一旦讀者能夠熟練地使用這些線索，就不需要那麼嚴格地遵循以下步驟。為了使該策略發揮作用，有兩個前提必須成立：[15]

一、讀者應該能夠輕鬆地理解他們正在閱讀的文章，也就是說，他們應該掌握文章中的大部分詞彙，並具有基本的理解能力。

二、讀者應該對文章有一定的背景知識。

這兩個條件能確保讀者從文章中猜出更多詞彙的意思。而主要策略包含五個不同的步驟：[16]

步驟①：找到陌生字的詞形

這意味著你需要嘗試檢查字的形式，以此作為了解其含義的線索。在可行的情況下，先將其分為字首、字根和字尾。例如，「preordained」這個字就包含三個部分：pre/ordain/ed，這可以幫助你猜測該字的含義。

步驟②：查看詞彙的上下文，並加以簡化

我們可以在陌生詞彙的周圍文字中尋找一些資訊，來簡化上下文：

一、指出這個詞彙，在這裡有什麼作用。

二、注意任何相關子句或相關短語。

三、刪除**和／或**，將句子更簡化。

四、檢查標點符號，從中找尋線索。是否有引號、斜體、破折號或括號？

步驟③：檢查該詞彙更廣泛的上下文

在檢查了陌生詞彙所在的句子後，我們需要查看更廣泛的上下文和周圍的句子。通常，一篇文章中的所有句子都與周圍的句子有關，這些關係包括因果關係、解釋、細節、對比、時間和順序。我們可以從副詞、主旨和其他線索，來看出句子的關係（例如文中用到「相反的」、「最後」、「反而」、「隨後」、「首先」、「換句話說」、「在這之前」等等。你也可以從文中的代名詞來判斷，像是「它」、「這個」、「那個」等等）。

步驟④：猜測未知詞彙的意思

根據你在前三個步驟中收集的線索，你應該有足夠的資訊來嘗試理解該詞彙，並猜測其含義。

步驟⑤：檢查你的猜測是否正確

如果你打算真正學習這個新詞彙，你不應該只是停留在猜測這個詞彙的意思，還要確認你猜對了。你可以心中想著定義或同義詞，先重新閱讀句子或上下文，並檢查你想的意思在上下文中是否合理。最後，再查字典，來確認你已經理解了這個詞彙。

你可能會想：「如果我最後都要用到字典，為什麼一開始還要費勁地猜測這個詞彙的意思？」確實，試圖弄清楚一個詞彙的意思，終究會讓你的閱讀活動暫時停止，但透過這種間接方法學習，會比直接查字典有益得多。

從上下文中找出一個詞彙的意思，可以有效地幫助讀者理解這個詞彙在特定上下文中的用法。[17] 回想一下前面提到「lost」的幾種用法。如果讀者想理解一個詞彙是如何使用的，他需要的遠不止一個定義或同義詞。

最後，重要的是盡可能在不同的上下文中使用新詞彙，無論是在演講，還是寫作中，以確保它成為你詞彙庫的一部分。

閱讀素養實戰訓練

試著閱讀哈代的《還鄉記》（*The Return of the Native*）的第一章，[18] 章節標題為「歲月無痕的荒原」。根據你的詞彙程度，你可能會遇到許多或一些不熟悉的詞彙，試著從文章中猜測它們的意思。小說的第一章描述了愛敦荒原（Egdon Heath）的風景，你可以閱讀作者的序，了解一下有關所描述地區的背景知識。哈代還提供了愛敦荒原的地圖，可善用這些線索來閱讀以下文章，並按照本章描述的步驟，從上下文中猜測陌生詞彙的含義。

注意：如果有一個詞彙你沒有猜對，請從字典中找出它的意思。完成後，即使你已經知道了其含義，也請嘗試回顧前三個步驟，並找出方法從上下文中猜測意思。如果你錯過了任何線索，在你知道這個詞彙的意思後，你就能找到線索了。

還鄉記

作者序

後面書裡的事件可能發生在一八四〇年至一八五〇年間，當時這個被稱為「巴德茅斯」（Budmouth）的古老水鄉，仍然保留著喬治王朝時期的歡樂和聲望，足以吸引一個靈魂浪漫且富有想像力的可愛內陸居民。

故事中陰暗的場景統稱為「愛敦荒原」，結合或象徵了至少十幾個有真名的荒原。這些荒原雖然原本在特質和外觀上基本相同，但如今已被強行開墾成塊狀和條狀的莊稼地，豐歉各異，或被種植成林地。

令人高興的是，這片廣闊土地上的西南地區的一隅，可能就是傳說中威塞克斯（Wessex）國王李爾（Lear）曾居住過的荒原。

一八九五年七月

第一章　歲月無痕的荒原

十一月的一個星期六下午，暮色將至，廣闊無邊的愛敦荒原漸漸黯淡。頭頂上，中空的白雲遮蔽了天空，宛如一頂帳篷，而整個荒原就是帳篷的地布。

蒼白的雲層籠罩天際，最深色的植被覆蓋地面，天地的交界處顯得格外清晰。在如此鮮明的對比下，荒原在正式入夜前，便已呈現部分黑夜的景象：大地的夜色濃重，而白晝卻在空中分外醒目。砍伐荊豆枝的工人若抬頭望去，會想繼續工作；若低頭看時，卻會決定收工回家。大地和蒼穹的遙遠邊際似乎不僅是物質空間的分界，也是時間的分野。荒原僅憑其黑蒼蒼的外貌，就讓傍晚的時間延長了半小時。它也同樣能延緩黎明的到來、讓正午顯得陰沉、預示即將形成的暴風雨，並加劇無月之夜的朦朧感，讓人不寒而慄。

事實上，愛敦荒原偉大和特殊的榮耀，正是在每日由明轉暗的這個過渡點開始彰顯出來。只有親身見識過此景的人，才能真正理解這片土地。當人們看得朦朧迷茫時，才最能感受到它的存在。荒原的完整效果和意義，正是從此刻到曙光再來前的幾個小時內顯現：那時，唯有那時，荒原才傾訴自己的真實故事。事實上，這個地方與夜晚息息相關。夜幕拉開後，夜色和景物似乎有明顯契合的趨勢。茫茫的山丘和低地似乎一同升起，迎接傍晚的幽暗，荒原散發著黑暗，宛如天空突然瀉下黑暗一般。於是，空中的朦朧和大地的朦朧互相靠近，最後在中途相遇，連成一片無垠的黝暗。

此地如今充滿了專注的意味，因為當其他事物沉沉入睡時，荒原似乎慢慢地醒來，並傾聽著。每當夜幕降臨，它那泰坦般的身軀彷彿在等待著什麼。然而，它靜靜等待著，一動不動地等待了這麼多個世紀，經歷了這麼多危機，彷彿只在等待最後的危機，即最終的毀滅。

愛這片荒原的人回憶起來，會覺得它有著特殊且親切和諧的特質。美麗和幸福的花田和果樹很難讓我們感到平靜，因為它們似乎只應存在於一個比現實世界更美好、更少問題的地方。暮色與愛敦荒原的景色結合在一起，形成了一種威嚴而不嚴厲、令人印象深刻而不炫耀、訓誡而不強勢、簡潔中不失宏偉的景象。監獄的外牆往往比兩倍大的宮殿外觀更加莊嚴，這種特質賦予了這片荒原崇高的氣質，而一般公認的美景名地則完全缺乏這種氣質。美好的景物與明媚的時光自然能夠圓滿地配合。但倘若時光並不美好，則令人感到悲傷！人們之所以愁苦，很少是因為受到蕭瑟不已的環境所壓迫，而是因為整片景色雲蒸霞蔚，無比歡騰，讓人情懷難寄，感覺受到嘲弄。蒼涼的愛敦荒原並非所謂「迷人」和「美麗」的那種美，它打動的是人們更微妙、更獨特的本能，因此人們必須學會欣賞它的美。

事實上，我們可以懷疑，這種正統美學獨占鰲頭的情況，是否已經接近尾聲。新的坦佩谷（Vale of Tempe）或許會出現在圖勒（Thu-le）這片荒蕪的地方，這意味著人們可能開始對周遭陰暗、悲傷的事物產生共鳴，即使在過去，人們厭惡陰鬱的事物。荒原、大海或高山經歷過磨練所形成的崇高之美，會深深打動那些內心深處感悟力強的人們。即便這一時刻尚未完全到來，也似乎已經臨近。等到最終，連像冰島這樣的地方，在最一般的遊客眼中，可能都會像現在南歐的葡萄園和香桃木花園那樣迷人；當他從阿爾卑斯山趕往席凡寧根（Scheveningen）的沙丘時，就不會看上海德堡（Heidelberg）和巴登（Baden）了。

最徹底的苦行僧也會覺得，他自然有權利在愛敦荒原上遊蕩：當他讓自己受到這些影響時，他是在合法的放縱範圍之內。至少，如此淡泊的色彩與景色屬於所有人與生俱來的權利。只有在盛夏時節，愛敦荒原才會顯得歡樂一些。比起絢麗的色彩，莊嚴的色彩更能營造濃烈的氣氛，而這種濃烈的氣氛往往在冬季的黑暗、暴風雨和迷霧中才會顯露。那時，愛敦荒原會被喚起，產生相互作用，因為風暴是它的愛人，狂風是它的朋友。那時，它就成了奇異幻影的故鄉。人們發現，它是那些晦暗地區的原型，在午夜夢迴時，我們隱約感覺到這些地區正在包圍著我們，讓我們在夢中逃亡，在夢中遭遇災難，但夢醒之後卻想不起來。現在見到這樣的景物，才再次想起。

目前，這是一個完全符合人性的地方——既不可怕、不可恨，也不醜陋；既不平庸、不會無意義，亦不乏味。這個地方像人一樣，雖被忽視，卻歷久不衰。同時在其黑暗單調中，又顯得異常巨大和神祕。就像一些長期與世隔絕的人，它的臉上似乎流露出孤獨的神情。它有一張孤獨的臉，暗示著悲劇的可能。

這片不起眼、過時而被淘汰的土地出現在《末日審判書》（*Domesday*）中，書中記錄它的狀況為荒僻、荊豆枝和荊棘叢生的荒原，被稱為「布魯阿里亞」（Bruaria）。當時用里格（league）為單位計算它的長度和寬度，儘管這種古老的直線測量方法存在一些不確定性，但從數字看來，愛敦荒原的面積直到今日幾乎沒有縮小。「布魯阿里亞砍草權」（Turbaria Bruaria），即砍伐荒原草皮的權利，也出現在與該地區相關的特許書上。利蘭（Leland）提到這片黑暗廣闊之地，也描述它「長滿了草地和苔蘚」。

這些關於景觀的記載至少提供了明白易懂的事實，令人滿意地證明了其影響深遠。愛敦荒原如今依然如故，難以馴服，帶著以實瑪利式的（Ishmaelitish）風格。文明是它的敵人。自從草木出現以來，它的土壤就穿著同一件古老的棕色外衣，那是特定地形天然不變的服裝。在這古老的單一外衣中，蘊含著對人類衣著虛榮的諷刺。當身處荒原，穿著現代樣式和色彩的衣裳多多少少會顯得異常突兀。大地的服裝是如此原始，我們似乎需要最古老、最簡單的人類服裝來與之相稱。

從午後到夜晚，就像現在，在愛敦荒原的中央山谷，倚靠在荊棘樹樁上，舉目望去，除了延伸至整個視線範圍的荒原山峰和山肩外，其他地方的任何事物都無法看到。你會知道，周圍和地下的一切都來自史前時代，如同頭頂上的星空般保持不變。這給漂浮於變遷之中、被不可抗拒的新事物困擾的心靈提供了穩定感。這片未受侵擾的廣大地區有一種古老穩定的特質，連大海也無法企及。誰能說哪一片海是古老的？大海在太陽的蒸餾、月亮的揉捏下，每年、每天、每小時都在更新。蒼海變了，桑田變了，河流、村莊和人民也變了，但愛敦荒原依然如故。它的地面既不陡峭到可以被風雨摧毀，也不平坦到容易遭受洪水和沉積物的影響。除了一條古老的大道和即將提到的更古老荒塚——它們在長期的歲月中幾乎結晶成天然產物——就連那些微不足道的不規則之處，也不是由鎬、犁或鏟子所造成的，而是經過最後一次地質變化的指觸所保留了下來。

上述大道穿過荒原較為低平的部分，從一個地平線延伸到另一個地平線。這條路線的許多部分與一條古老的鄰近道路重疊，那是從羅馬人的西方大道伊西尼阿娜路（拉丁文Via Iceniana），也叫伊肯尼街（Ikenild Street）分出的支路。在這個特別的夜晚可以注意到，儘管暮色愈來愈暗，足以模糊荒原的細微特徵，但大道的白色路面幾乎像以往一樣清晰可見。

本章小結

要成為更好的讀者，讀懂更多內容，「理解文章中的各個詞彙」是其中一環。正如伊麗莎白所想的那樣，試圖翻開字典，隨機查找新詞彙是毫無用處的。我們讀得愈多，遇到的新詞彙就愈多。而從上下文找出詞彙的意思，是充分理解詞彙並增加知識的最佳方式。

關鍵要點

- 在學習新詞彙時，應該全方位掌握詞彙的所有細節，而不僅僅是其含義，因為一個詞彙在不同的上下文中，可能意味著不同的事物。
- 文字的知識應包括：

音韻：字的發音和讀法。

構詞：詞彙的架構或組成詞彙的各個部分。

文法：單字在句子中的類別、形式和功能。

語義：單字的意思有時會根據上下文、以及單字與其他單字的關聯而改變。

句法：單字的排列方式，使單字能夠組成句子。

- 學習新詞彙有兩種方法：直接學習和間接學習。
- 直接學習是從字典或其他人那裡，學習詞彙的意思。
- 間接學習是從上下文中找出詞彙的意義，其中包括文章中的句法、構詞和言談訊息，以及讀者的背景知識。

- 要從文章中，推斷出陌生詞彙的含義，有五大步驟：

步驟一：找出字的詞形。
步驟二：理解並簡化上下文。
步驟三：檢查該詞彙更廣泛的上下文。
步驟四：猜猜這個詞彙的意思。
步驟五：檢查你的猜測是否正確。

第9章

原來，不同類型的書，要用不同方式來讀！

如果想讀好一本書，
首先需要理解這本書，才能加以評斷。
像我們就不能用讀小說或化學書的方法，來讀食譜。

首先，請思考該怎麼讀這本書

我們已經討論了閱讀的四個層次，並提到最好的閱讀方式，是第三層次的分析閱讀。然而，並非該層次內的每條規則都適用於每本書。比方說，在閱讀一個故事時，要弄清楚作者最重要的字彙、句子和主旨是非常困難的，而且這樣做毫無意義。

讓我們來看看下面的書單：

- 蕭伯納的《武器與人》（*Arms and the Man*）。
- 尼采的《善惡的彼岸》。
- 葉茲（Kit Yates）的《攸關貧富與生死的數學》（*The Math of Life and Death: 7 Mathematical Principles That Shape Our Lives*）。
- 華特・艾薩克森（Walter Isaacson）的《賈伯斯傳》。

- 勞倫斯・史坦堡（Laurence D. Steinberg）的《搞定你小孩》（*The Ten Basic Principles of Good Parenting*）。
- 莎士比亞的《莎士比亞的十四行詩和詩集》（*Shakespeare's Sonnets & Poems*）。
- 史蒂芬・霍金的《時間簡史》（*A Brief History of Time*）。
- 里德・米切爾（Reid Mitchell）的《美國內戰史：一八六一－一八六五年》（*The American Civil War, 1861 – 1865*）。
- 弗朗茲・法農（Frantz Fanon）的《大地上的受苦者》（*The Wretched of the Earth*）。
- 喬治・歐威爾的《1984》。

這份清單上的每本書，就像所有書一樣，都有不同的目的。無論你是否讀過當中的書，你都應該知道，每一本都可以進行分析閱讀，只是第五章提到的規則略有不同。在本章中，針對不同類型的書籍及相應的分析閱讀方式，我們會逐一探討，來了解其中的差異。

最終，都可以回答這四個問題

分析閱讀有很多規則，但所有規則多是為了回答四大問題：

一、這本書談的是什麼？這本書的主題是什麼？作者是如何依次發展這個主題的？

二、作者在傳達訊息時，提出了哪些主要的想法和論點？

三、這本書說得有沒有道理？

四、書中的資訊有什麼意義？

如果想讀好一本書，首先需要理解這本書，才能加以評斷。每一種書都有不同的閱讀方法，像我們就不能用讀小說或化學書的方法，來讀食譜。然而，無論如何，我們最終都可以回答分析閱讀的四個問題。那麼，對於不同種類的書籍，我們該如何做到這一點？

論說性書籍閱讀指南：以思考或行動，參與其中

本書的目的，是提供一套「如何把書讀得更好」的規則和原則，來幫助你讀得更好，所以本書屬於論說性書籍，通常向讀者介紹和解釋某個特定主題。[1]

論說性書籍主要分為兩類：實用型和理論型書籍。[2]論說性書籍旨在界定某個問題，並提供問題的解決方法來說服讀者，最終目標是讓讀者相信，它們提供的解決方法是最好的。這兩種論說性書籍的差異在於，實用型書籍有解決問題的規則，而理論型書籍則闡述了解決問題的基本原則。

實用型書籍不能為你解決問題，而是呼籲你採取行動。例如，你現在正在閱讀的這本書就是一本實用型書籍，要解決的問題是如何讀得更好。你可以從頭到尾讀完這本書，但是如果你不採取行動，不嘗試運用書中所述的規則來成為更好的讀者，問題就不會得到解決。舉例來說，閱讀食譜就是如此。如果你確實使用食譜做了一道菜，「問題」也不會得到解決。

相比之下，理論型書籍則在書中提出問題，並解決問題。在思考問題和提出的解決方案時，讀者除了進行一些腦力活動外，不需要採取任何行動。馬克思的《資本論》就是理論型書籍的一個例子，闡述了他對於資本主義的理論，試圖揭示其矛盾，並批評了他認為核心存在缺陷的資本主義經濟理論。[3]顯然，讀者在讀完《資本論》後，無須採取任何行動，但馬克思試圖說服讀者相信他對資本主義的理論。

當然，論說性書籍之間的這種區別並不是絕對的。有時一本書可能同時包含原則和規則，但區分實用型書籍和理論型書籍基本上是容易的。一般來說，根據書中問題的性質，你就能知道這是一本什麼樣的論說性書籍。實用型書籍通常是與人們行為有關，作者會提出方法，讓人們在特定領域有所改進。

既然明白了這兩種論說性書籍之間的區別，讓我們詳細了解如何各別進行分析閱讀。

實用型書籍

所有實用型書籍都有供讀者遵循的規則、格言或大致方向。當然，我們需要回答分析閱讀的前兩個問題。即找到作者寫這本書的主題、目標或用途是什麼，這有助於讀者正確理解和評斷一本書。

講到分析閱讀的後續步驟，在閱讀實用型書籍時，你需要尋找的主要主旨是作者列出的規則。支持書中主旨的論點應該是作者對所建議規則的解釋，作者理應試著說服你，為什麼遵循這些規則，會幫助你實現書中的目標。

找到目標、辨別作者建議的規則，以及支持這些建議的論點後，你就可以開始評斷一本書了。根據你所讀的書，作者的建議可能很周密，但你或許不同意他的那套方法。如果你在閱讀實用型書籍時，用分析和明智的方式進行思考，你可能會同意作者的觀點，遵循他們的規則，並採取行動；或者根本不同意，並說明他們為什麼或怎樣沒有說服你。

理論型書籍

理論型書籍通常會列出可以產生規則的原則，但理論型書籍的主要焦點是理論本身，通常是作者提出的一系列主旨，並會有支持論點，試圖證明構成理論的主旨。

比方說，達爾文在《物種起源》一書中提出的演化論，就是理論的一個例子。達爾文的主要主旨是，具有適應環境的特定特徵的個體會生存下來，其他個體則會滅亡，這就是他所說的「物競天擇」。而在整本書中，我們可以看到，達爾文對不同物種進行了觀察後，所提出的論點。儘管達爾文對遺傳學一無所知，因為在他那個時代尚未有這方面的研究，但遺傳學家日後的研究，為達爾文的物競天擇理論，提供了更多證據。[4]

這是理論的一個重要面向。理論是不斷累積的，就算在著作出版多年之後，許多人仍可以對理論進行補充、徹底駁斥或反駁。比方說，距離馬克思撰寫《資本論》（寫於一八六七年）近一個世紀後，米爾頓・傅利曼（Milton Friedman）在《資本主義與自由》（*Capitalism and Freedom*，寫於一九六二年）中，駁斥了馬克思的理論。相反的，傅利曼則頌揚資本主義，認為社會需要的就是無限制的自由市場。[5]

無論讀者打不打算同意某個理論，都應該將自己的論點，緊扣著作者所說的話、他們的理論及其背後的推理。就像你讀的任何書一樣，你有同意或不同意的自由，但你需要根據你批評的書中內容，闡述你為什麼同意或不同意的論點。

另一方面，如果你注意到的話，達爾文創造了「物競天擇」一詞。而弄清楚理論型書籍中作者的術語，是分析閱讀中非常關鍵的一步。因此，善於分析的讀者在評判一本理論型書籍之前，需要了解該理論、作者提出的關鍵術語，以及證明理論的論點。

最後，對於理論型書籍，了解一下作者的背景非常重要。如果不了解《共產黨宣言》作者恩格斯和馬克思的生活背景，像是他們的生活方式，以及他們在書中闡述的理論的目的是什麼，就無法完全理解《共產黨宣言》。至於你在書本上讀到的理論是否適用於今日，這取決於你的判斷。

虛構類書籍閱讀指南：沉浸在作品中的世界

第二類是虛構類書籍。這類書籍，無論是小說、故事或戲劇，都會創造故事，將故事設定在新的世界中，並帶著身為讀者的你進入那個世界。

小說的首要目標是取悅讀者。雖然取悅讀者遠比用想法、概念或問題解決方案說服他們容易，但要讓讀者說出他們為什麼高興或不高興，卻更為困難。畢竟，美感比真理更難分析。

論說性書籍和虛構類書籍之間的差異在於，前者需要將所有內容都清楚地闡述出來，以說服讀者相信他們所提出的內容。然而，對虛構類書籍來說，字裡行間的暗示和隱含的東西與所表達的內容同樣重要，甚至更為關鍵。善於分析的讀者可能會從書頁上不存在的故事中，理解或得出一些結論。

分析閱讀促使讀者尋找書中的術語、主旨和論點，但對於虛構作品來說，所謂的術語、主旨和論點並不一定那麼一目了然。反而，我們需要專注於角色、他們的想法、他們的感受以及一舉一動。[6]那要如何對虛構類書籍進行分析閱讀？

小說或短篇故事

無論作品的長短，都應該盡快從頭到尾讀完。[7]讀者應該沉浸在那個不同的新世界中，與書中的人物一起生活，一起感受，直到故事結束為止。一旦你這麼做，你就能夠回答分析閱讀時要提出的第一個問題，即這本書談的是什麼。你能夠理解情節、發生的事情，並與書中創造的角色產生共鳴。

德國小說家古斯塔夫・弗萊塔格（Gustav Freytag）指出，一個好的故事情節中應該經歷五個階段。下頁的圖代表了這五個階段。[8]

身為善於分析的讀者，你的首要任務是能夠辨別情節。像是，故事是如何開始的（鋪陳）、發生了什麼事（情節升高）、問題是什麼（高潮）、如何解決（情節轉弱），以及如何結束（結局）。然而，許多故事的細節和情節要複雜得多，無法用一張圖來概括，但是你需要能夠辨別故事的主線，理解故事的內容和發生的事情。

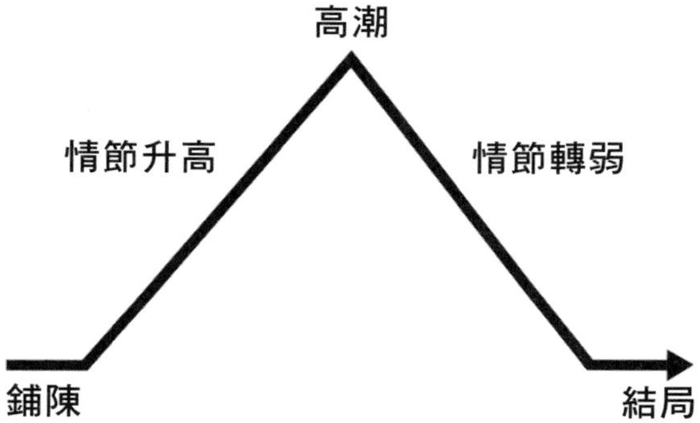

一旦你回答了分析閱讀時要提出的第一個問題，你就可以專注於書中的重點，也就是你需要了解的書中人物，以及你應該能夠釐清的書中事件。虛構類書籍中的主旨是環境、背景和人物生活的世界，因此，善於分析的讀者應該做的，就是完全沉浸在那個世界中。在閱讀時把那個世界當成自己的家，並與書中的人物一起生活在那裡。[9]

當你了解情節和發生的事情、了解人物、理解他們如何轉變，並一起生活在他們所處的虛構世界中，你就能夠闔上書並進行思考。你能夠判斷人物的行為，可以感受到所發生的事情是否公正，還能知道為什麼你對結果，以及整本書感到滿意或不滿意。

很多故事會讓你在闔上書後思考幾個小時，甚至幾天。以托妮·莫里森（Toni Morrison）的《寵兒》（*Beloved*）為例，它基本上是一個鬼故事。然而，書中所蘊含的深度，以及複雜而豐富的敘述，使這部小說的鬼魅書寫，成為讀者的「歷史意識」（historical consciousness），覺察到過去、現在和未來之間，總是不斷流動的。[10]而這個以鬼故事為主軸的敘述，描繪出奴隸制持久和痛苦的影響。善於分析的讀者會察覺小說中的許多心理、歷史和文化內涵。他們應該去理解字裡行間的含義，思考所發生的事情，並分辨出自己喜歡或不喜歡所讀內容的原因。

戲劇

戲劇與小說類似，也是在講故事。然而，讀者需要積極地創造背景和環境場景，但在書面劇本中這方面的細節卻很少。閱讀小說和戲劇之間的主要區別在於，戲劇一開始就不是用來讀的，而是用來觀看的。因此，如果你有機會觀賞一部你想讀的戲劇，請務必去看。

戲劇是為演員表演而寫的，因此，和劇本作者一樣，導演和演員對於情感的表達方式也有發言權。[11]但一般來說，適用於小說的相同條件，也適用於劇本的書面創作和演出。你需要理解情節、人物、背景，讀懂字裡行間的內容，並對你所讀到或看到的內容做出判斷。

詩歌

就像所有的虛構類書籍一樣，即使讀詩時覺得不甚理解，讀者仍需要從頭到尾連續讀完整首詩，才能掌握其精髓。

讀完第一遍後，建議讀者再大聲朗讀一遍。一首詩之所以與眾不同，是因為它的節奏和韻律，賦予了詩美感。而我們所追求的，正是這種美，與我們在論說性書籍中尋找的真理形成鮮明對比。

詩的美感有一部分來自於大聲朗讀時感受到的共鳴，你的耳朵是讀詩過程的一部分，所以再次大聲朗讀這首詩。經過第二次閱讀，你將能夠辨別出關鍵字，在朗讀的過程中，它們會脫穎而出，這就是詩的魔力。一旦找到這些詞，你就會開始問自己，為什麼這個詞如此突出？是因為節奏嗎？押韻？出現了某種重複？這就是詩人文采的發光點。

讀一首好詩，就是去體會詩人想要分享的感受，體驗他們所說的內容。而愈好的詩，愈能讓你沉浸在那種感覺中。然後，再讀一遍。經過幾次閱讀後，你就能開始找出、並釐清不認識的詞彙，無論是透過上下文，還是查閱字典都可以。接著再讀一遍。另一方面，你對一首詩提出的更偏向是修辭問題，而不是邏輯問題。[12]你從一首詩中察覺到的東西，可以是針對個人且無限制的，隨你所欲。

馬修・阿諾德（Matthew Arnold）是維多利亞時代最有影響力的批評家和詩人之一，他認為詩是詮釋生活的方式。他甚至表示，詩將超越哲學和科學，因為它是真正喚起情感的表達媒介。[13]試著在你反覆閱讀的詩中找到隱藏的美，而每次回頭再讀一遍，你可以學到更多。14

歷史類書籍閱讀指南：從不同角度理解，再提出自己的判斷

還有一種是歷史書籍。它們大多也在講故事，但這些故事都是真的，它們在某個時間、某個地點發生在某些人身上。在閱讀歷史書籍時，我們需要明白，它們不是虛構的，而是真實的故事，可能在某個時刻改變了歷史的進程，因此需要從中辨別真相。

歷史留下的東西都是來自書面資料或殘破的實物證據，以及早已逝去者的證詞。然而，身為善於分析的優秀讀者，在面對一本歷史書時，你需要能夠判斷，撰寫這本書的歷史學家所陳述的事實是否準確。由於許多歷

史事件往往會被扭曲，細節也會在過程中遺失，所以好的讀者需要閱讀多個關於該時期或該事件的描述，才能充分地理解情況。[15]

歷史書的目的是發現或確定發生了什麼事、為什麼發生，以及是什麼導致當時的人們這樣做。[16]例如，根據不同的作者，一派認為十字軍東征是為了保衛基督徒和基督教聖地，而另一派認為是歐洲對中東的侵略。善於分析的讀者在批評或採取立場之前，需要從不同的角度閱讀歷史。

歷史書籍

儘管歷史書更著重於講述故事，但仍然必須以論說性書籍的方式來閱讀，因此類似的問題也適用。然而，提出的問題和答案則略有不同。關於分析閱讀時要提出的第一個問題，是需要知道歷史書討論的是什麼主題，書中談論的是哪個時代、時期或事件。

其次，我們需要了解，歷史學家用什麼方法來講述這個故事，以及他們如何組織這本書。他們是按主題，還是按時間順序安排的？有一種好的指標是查看目錄，並快速檢視這本書。這可以讓讀者知道，歷史學家在講述故事時將重點放在哪裡，從而讓我們更理解重點。

當我們打算評斷一本歷史書時，首先需要弄清楚作者對資料來源的解釋是否正確。在許多時候我們可以感受到，老一派的歷史學家在談論歷史事件時，往往會忽略經濟方面的討論。有時候，我們或許會發現作者沒有正確使用資料來源，他們可能不知道我們在另一本書中讀到的某個細節。這就是為什麼在對歷史進行真實的分析閱讀時，必須閱讀幾本相關歷史事件或歷史時期的書籍。

談到分析閱讀的最後一個問題時，必須考慮歷史對當前生活的影響。歷史常常告訴我們過去的故事，所以也許我們可以改變現在的狀況。正確解讀歷史的重要意義在於，那些已經發生的事情要麼會再次發生，要麼完全可以避免。[17]只有正確閱讀歷史，才能從中吸取教訓。

傳記和自傳

傳記和自傳也是歷史的一部分，談論的是某人的一生。因此，在閱讀傳記和自傳時，所提出的問題和讀歷史書籍一樣。首先，要詢問作者為什麼要寫這本書，以及評判書中真實性的標準是什麼。

然而，你必須了解不同類型的傳記，才能區分它們。首先，「定案本」（definitive）傳記旨在成為詳盡完整的學術著作，談論某個非常重要、且值得寫成傳記的人生。詳盡的傳記通常不用來寫活的人，並且通常是先出版了好幾本不那麼詳盡的非定案傳記之後，才會撰寫定案本的。

另一種類型，是「授權本」（authorized）傳記。由重要人物的朋友或家人撰寫，作者通常受委託來撰寫傳記，並且非常謹慎地描述人物，以盡可能讓人物展現出最好的形象。閱讀這類傳記需要謹慎，因為作者可能存在偏見。如果讀者知道這是書中主角的家人或朋友對主角的看法，就會更謹慎思考這些傳記。

當然，還有一些自傳本身就存在著很大的問題。首先，它們寫的是一個還未完結的人生故事。其次，要認識和理解某人的一生，確實非常困難。但有些自傳寫得非常精彩，有些人把自己的人生描述得很有趣，《富蘭克林自傳》和《安妮日記》就是很好的例子。

最後一點，如果你對歷史上的某個人感興趣，身為一個好的讀者，你也應該盡量多讀傳記（包括如果有人寫了自傳），以充分了解這個人。[18] 傳記應該當作歷史的一部分來閱讀，了解發生了什麼事以及原因，並與作者爭論。你可以思考的最後一個問題是，那又怎麼樣呢？傳主的故事可能很啟發人心，這就要看你是讀誰的傳記了（當然，我們期望他們人生夠精彩，值得寫成傳記）。另一方面，聽聞別人的故事，我們也可以從中學習，以因應未來人生需面對的種種課題。

時事

另一種類型的歷史，是當前在我們周遭發生的故事。也許是幾年前，甚至是上週發生的事件。這可以包括講述影響世界的重大事件（如九一一事件）的書籍，或談論昨日事件的報紙。

記者的主要工作，是公正地報導世界上正在發生的新聞。他們的目標通常是盡可能客觀地傳達他們目睹的真相。然而，尤其是在「假新聞」現象激增之後，人們也必須開始考慮對每日新聞進行分析閱讀。

二〇〇五年的一項研究，衡量了美國主要媒體的偏見。結論是，幾乎所有主要媒體都存在強烈的自由主義偏見，這很可能是因為新聞製作人更喜歡迎合某些類型的消費者，從而吸引更多廣告主向自家媒體買廣告。[19]不管你的政治立場為何，好的讀者無論讀到什麼，都會尋求真相。因此，在閱讀、甚至觀看任何時事新聞時，都需要意識到偏見的存在。

如今，事情變得更加複雜，每個人都有平台可以來表達自己的想法和觀點。因此，我們最終會聽到來自每個人的大量不同觀點。善於分析的讀者若有興趣了解任何事件的真相，還必須閱讀並尋找討論該主題的不同資料來源。就像閱讀任何歷史事件一樣，時事也是尚未完成的故事。遇到任何事情都要進行分析閱讀，並從不同的角度去理解，然後再提出自己的判斷和意見。

科學類書籍閱讀指南：每一個人，都可以學會用科學思考

在當今世界，除非你是某個領域的專家，否則根本很少會去接觸專業的科學書籍。這是可以理解的，因為從二十世紀開始，各個學科的分工將學術界的人們分隔開來。物理學家很少會讀醫學書籍，化學家也不會有興

趣閱讀數學書籍。然而，在機構分工越來越細之前，像牛頓和天文學家伽利略等作家是為大眾寫作的。[20]

事實上，「學科」（discipline）一詞，最初是源於羅馬文化中的「disciplina」，代表少數專業，如醫學和法律，並且需要學習某個主題的專業資訊。每個受過教育的人都會閱讀其他書籍，將其視為他們知識的一部分。在二十世紀，我們所知的學科開始發展。當時所謂的「自然哲學」被劃分為新的類別：物理學、數學和化學；社會科學也被細分為人類學和政治經濟學，後者又形成了政治學和經濟學，然後又有了歷史學、社會學和心理學。

所有大學都開始朝「學科制度專門化」來發展，[21]每個學科的每個群體都漸漸擁有了自己的專業術語和方法論。如今，某個領域的專家傾向於寫文章給同一領域的其他專家。當然，這種方法有其優點，因為它可以幫助科學更快地進步。專家可以從他人的研究或理論中辨識出問題，並找到解決方案。然而，其中一個問題是，我們大眾，也就是這群致力於提升閱讀和理解能力的人，因為不是某個領域的專家，就被排除在外。[22]

然而，如今我們有了跨學科研究，所以傾向於挑戰這種分隔，重新整合各學科，並將不同學科的方法、理論和工具，建立在科學的普遍原則之上。學術界再次試圖縮小學科之間的差距。作為優秀的讀者，我們至少需要學習如何閱讀科學書籍，即使這不是我們的「專長」。

掌握六步驟，應用科學方法探究世界

在閱讀任何科學書籍或研究之前，首先需要了解科學論述中所使用的科學方法。科學方法是一種系統化的方法，使我們能夠了解世界，並回答科學家所探究的問題。科學方法主要涉及六個步驟：[23]

步驟一：提出問題，並清楚界定需要解答的問題，確定研究方向。這個步驟包括對主題進行觀察。

步驟二：背景研究。如果不廣泛查看先前試圖解決問題的研究，那麼再好的科學論述都是不完整的。如果之前有人已經提出了問題，並提出了解決方案，那麼就不值得多費力氣在這個研究上了。

步驟三：提出假設。通常，是科學家或研究人員，對結果做出有理有據的猜測。

步驟四：設計並進行一個或一組實驗，來回答主要問題，不同學科的實驗可能有所不同。心理學家可以進行社會實驗，而化學家的實驗則在實驗室中進行。

步驟五：觀察和分析資料。通常，數據會以圖解或圖表的形式呈現。

步驟六：所提出的假設是被接受還是拒絕，對此得出結論。實驗沒有對錯之分，需要客觀地呈現結果。而所給的結論應該是對結果的合理解釋。

即使你不需要做研究，或者沒有牽涉到任何科學學科，好的讀者也應該知道「如何得出科學結論」。每當你對某個主題感興趣時，都可以依靠科學結果來支持觀點。你所依賴的資料或結果，來自於明確的方法論。而好的讀者應該能夠區分「結果合理的好研究」和「結果不合理的研究」。

數學，是世界運作的基礎

數學領域是一門不同的科學，不依賴觀察和實驗，而是有自己的語言、符號和方法。無論你在學校時是喜歡還是討厭數學，你都應該知道生活中的一切都離不開數學。所有其他科學都需要數學來證明它們的理論，並讓研究變得健全。但對一般讀者來說，試圖理解數學的困難在於，它的抽象特質超出了讀者的心智能力。[24]

數學確實有自己的語言，就像嘗試學習新語言一樣，我們需要從基礎開始。我們需要理解某些符號，以及這些符號之間的關係意味著什麼。[25]

此時你可能會開始思考，為什麼需要學習閱讀數學？主要是因為，數學是我們思考自然現象的基礎。那麼我們如何才能理解數學，並以不同的方式思考數學？

首先，要先理解數學這個抽象概念。數學處理的是與事物相關的概念和特性，單單因為事物存在而適用數學，事物的特性不受個人感受的影響。例如，想到數學時，一般人會想到二加二等於四這樣的事情，這個基本算術觀念是普遍適用的，從聲音到味道、橘子、天使、身體的骨骼，甚至頭腦中的想法。在每種情況下，二加二就是會等於四。

其次，數學作為一門科學的重要性在於，它的抽象性是科學思想的核心，我們周圍的一切都是互相牽連的。看到天空中的閃電，就知道雷聲隨之而來。而我們也知道，如果拿著一個球，然後放開它，球就會掉到地上。所有的科學進步，都基於對我們所在的世界秩序，提出的觀察結果。

科學思想是要明白那些普遍、特殊和短暫的情況，我們觀察到的一切都受到科學試圖發現的定律所支配，這些定律就像萬有引力定律一樣，需要被公認為普遍有效的。

儘管我和你的感覺不同，但我們都生活在同一個世界，受到相同定律的支配，無論個人對這些定律有何感受。這些定律不帶有任何個人的感受或經驗，是事物的屬性。這些定律是抽象的數學思想，描述了我們所在的世界秩序。[26]

讀者若想要拓展視野，超越自身經驗和思想，都需要基礎的數學知識。[27]閱讀和理解數學，即使是基礎數學，也是理解世界規律和周圍事物秩序的方式。數學是所有科學的基礎，也是世界運作的基礎。因此，在閱讀數學時，應先理解基礎數學語言，然後再繼續閱讀。

哲學類書籍閱讀指南：讓自己有能力去「質疑」

我們要介紹的最後一類書籍是哲學書籍。就像現代科學一樣，哲學家有自己的術語，並且通常是寫給其他哲學家看的。[28]與審視生命並試圖解釋生命的科學相反，哲學的目的，是提出有關生命、存在和人類等諸多問題。當你面對一本哲學書，你首先需要發現的是「作者試圖回答的問題」。

你必須記住，哲學就像現代科學一樣。每本新的哲學書籍都會繼續回答先前提出的問題，並加以補充。這是一個連續的故事，從最古老的人類提出的第一個哲學問題開始（我們為什麼存在？我們的目的是什麼？什麼是善，什麼是惡？這些只是幾個一般的例子）。

因此，我們需要閱讀與所提問題相關的書籍，目標是尋找有關該主題的較早期書籍，這能幫助我們理解當代哲學家提出的新概念的思想基礎。或者，我們也可以藉助哲學字典來理解作者使用的術語，這些術語是每個懂哲學的人都應該知道的。

哲學書籍

如同前面所提到的，首先，我們需要知道哲學家所提出的問題，可能用明示或暗示的方式在文章中呈現。不管怎樣，我們都需要分辨這些問題。[29]

其次，我們需要找到作者對術語的定義。不同作者的詞彙差異很大，因此「與作者達成共識」是閱讀哲學書籍的關鍵一步。如果你曾經讀過《史丹佛哲學百科全書》（*Stanford Encyclopedia of Philosophy*），你會注意到這本線上百科全書不僅定義了每個術語，而且還解釋了某個作者使用該術語的語境。比方說，「賽局理論」是「研究互相依賴的選擇和行動」，包括「對策略型決策的研究」。另一方面，你會發現另一個條目「賽局理論」，被經濟學家、生物學家和社會科學家使用，並且有一個數學公式。

在找到問題，並理解作者使用的主要關鍵字或術語的定義後，我們需要找出作者的論點，其中包括前提和結論、對這些結論的反對意見、作者針對這些反對意見提供的回應，以及其背後的理由。

此外，在許多哲學討論中的一個關鍵要素，是使用實例來說明。善於分析的讀者也應發現這一點。哲學家用例子來闡明他們的觀點，[30]這幫助我們理解他們提出的概念或論點。

最後，一旦你覺得自己了解提出的問題、論點、結論、反對意見和解決辦法以及例子，你就可以開始與作者的想法進行爭論。理解哲學是一項辛苦的腦力活動，但卻是值得的。與別人或假設與一本書的作者討論哲學，是身為好讀者的我們，所能進行的最有成就感的活動之一。

神學／教義學類書籍

神學研究上帝或萬物創造者的存在。神學書籍有兩種，第一種是自然神學（natural theology），屬於哲學的一部分。[31]自然神學試圖透過觀察自然事實來論證造物主的存在。作為哲學的一支，它運用人類的所有能力，包括理性、內省和感官來研究神學問題。[32]

第二種神學是教義神學（dogmatic theology），不屬於哲學範疇，主要以信仰的教條為基礎，並依賴教義和宣揚教義的宗教權威人士。[33]所有的宗教經文，包括《妥拉》、《聖經》和《古蘭經》，都是亞伯拉罕宗教教義神學（按：指世界主要的三個有共同源頭的一神教：基督宗教、伊斯蘭教與猶太教）原則的基礎。

顯然，閱讀自然神學書籍與閱讀哲學書籍的方式相同。然而，當你嘗試閱讀教義神學書籍，需要記住這種書以信仰為基礎。如果你沒有這樣的信仰，想要讀教義神學書，你可以像讀數學書一樣，如對待數學假設般對待教義。對信徒來說，信仰不是觀點的問題，而是一種形式的知識。

讀者在嘗試閱讀和理解教義神學時犯的第一個錯誤，就是他們拒絕接受書中的信條是作者的原則。這些信條和教義是沒有商量餘地的，作者的文章也是以此為基礎。因此，即使是暫時的，善於分析的讀者也需要在閱讀時，接受那些信條屬實。

這並不意味作者提出的論點、推理思路和結論，也是符合教義的。事實上，這就是善於分析的讀者可以介入、並與作者爭論的地方。作者提出的論述是根據不可反駁的原則，但善於分析的讀者要麼接受作者的推理思路，並同意他們的結論，要麼發現其中有缺陷。

如果你是信徒，你能夠就某些與你的信仰通常不衝突的觀點，與作者的推理進行辯論，儘管這樣的觀點是根據你的信仰。但對於沒有這個信仰的人來說，首先應該接受書中的首要原則和教義是正確的，才能理解和評斷一本書。[34] 如果你們沒有相同的出發點，即信仰不同，那麼與神學家爭論是沒有結果的。

閱讀素養實戰訓練

善於分析的讀者閱讀一本書時，首先需要確定這是一本什麼樣的書。請參考本章一開始列出的書單，試著確定每本書是什麼類型。如果你不熟悉某個作者或某個條目，最好對其進行初步研究，並利用你的批判和分析技能，來了解每個條目的內容。透過研究，你也許能夠辨別出每本書的類型、內容以及作者提出的主要問題。如果你發現任何感興趣的書，一定要進行分析閱讀。

本章小結

對書籍進行分析閱讀涉及一套規則，不同類型的書籍規則略有不同。

本章試圖定義這些差異，並指導善於分析的讀者了解可供選擇的書籍類型，以及不同書籍的閱讀方式。當然，在閱讀每種類型書籍上，還有許多細節，但以上僅針對不同類型書籍的架構方式，以及善於分析的讀者在面對那些書時該有的思考方式，提供了廣義的指導，以便有更好的閱讀和理解效果。

關鍵要點

- 書籍有不同的種類，每種書籍的閱讀和理解方式也不盡相同。
- 我們需要了解書的類型以及作者寫作的原因，才能對其進行分析閱讀。
- 論說性書籍分為實用型書籍和理論型書籍，它們的目的是用理論或實用的解決方法，來說服讀者。
- 虛構類書籍主要是故事，讀者需要沉浸其中才能充分理解。它們的目的是取悅讀者，而好的讀者應該知道自己為什麼對內容感到滿意或不滿意。

- 歷史、傳記和新聞都是真實的故事，試圖記述發生的事實，目的是告訴讀者已經發生或正在發生的事情。而我們的角色是從中辨別真相。
- 科學書籍旨在了解我們所處的世界，並有一套有系統的方法論，需要遵循這些方法論，才能得出關於世界如何運作的結論。這種書籍基於觀察和實驗。而數學確立了這個世界的定律和原則。這門「抽象化」學科所歸納出的定律，不僅指引了其他科學領域，更主宰了我們所處的世界。
- 哲學書籍質疑世界以及人類的存在，它們是最難閱讀和理解的書之一，需要最辛苦、但又最充實的腦力活動。

第10章

方法學會了，閱讀就輕鬆了

一旦你掌握了這些步驟，
在去圖書館或要買書的時候，自然而然就能上手。
然後下定決心，透過讀得更多、讀得更好，來獲得啟發。

善用線上圖書搜尋功能，做出更好的閱讀決定

在當今的數位世界中，有兩種人：一種是擁有線上事業的人，他們重度依賴數位行銷來銷售自己的服務或產品；另一種是消費者，他們是數位行銷的對象。無論你屬於哪一種人，不管是否喜歡，數位行銷都是生活的重要部分。因此，我們應該努力了解數位行銷。

請透過Google圖書搜尋跟「數位行銷」有關的書籍，並利用有限預覽功能，嘗試從檢視的層面來閱讀這本書，並試著評估深入閱讀是否對你有用。畢竟，檢視閱讀可以幫助你決定值不值得花時間閱讀某本書。

回到第五章，重新閱讀檢視閱讀的步驟，以充分利用Google圖書可讀取的有限頁面。當然了，如果你對這個主題不感興趣，也可以選擇其他你想要檢視的題材，並應用檢視閱讀的步驟。一旦你掌握了這些步驟，在去圖書館或要買書的時候，自然而然就能上手。

這才是最充實的閱讀體驗

現在是進行分析閱讀的時候了，這需要時間和精力，但最終會讓你感到最充實的閱讀體驗。我們不會強迫你選出要進行分析閱讀的書籍，因為一切仍取決於你的喜好。然而，由於你即將讀完這本書，我們試著提出一些建議，以確定你對分析閱讀本質的理解程度：

- 再看一遍本書的目錄，嘗試記住你所讀過的所有內容。
- 閱讀每章的「本章小結」和「關鍵要點」，以加深記憶。
- 現在你知道如何更會閱讀和理解一本書了，你會用什麼樣不同的方式閱讀這本書呢？如果你想對本書進行分析閱讀，你會做什麼改變？
- 既然你已經讀過這本書一次了，請試著用分析的方式再讀一遍。你同意書中的概念及其選擇的方法論嗎？你大體上同意，還是不同意作者的觀點，為什麼？

讀得更多，讀得更好，獲得更多啟發

一旦你能夠輕鬆地進行分析閱讀，就可以嘗試進行主題閱讀。正如上一章提到的，有許多主題的書，都值得大量閱讀，如歷史或哲學。首先，請找出你有興趣的主題，並閱讀幾本有關該主題的書籍。

但我們並不會提供你主題閱讀的書目，而是針對概括性的主題，提出一些選擇建議。畢竟，主題閱讀的樂趣之一，就是讀者透過研究，找出自認值得閱讀的書目。當然，以下的主題清單只是建議，一切仍取決於讀者的興趣。

點子一：你可以選擇任何你感興趣的歷史事件，也許你有興趣了解更多關於美國內戰、冷戰或羅馬帝國的興衰史。或者，你可能對近代歷史很好奇，像是中東衝突或越戰。

點子二：如果你更關注人性而非事件，也許你會有興趣深入研究心理學主題。比方說，對「精神錯亂」和「瘋狂」概念的探索，相當引人入勝，能引導你了解心理學家能夠辨識的心理障礙。又或許，你對「自戀」或「憂鬱」等特定心理障礙很感興趣。請不要停留在只對症狀有基本的了解，而是針對你感興趣的主題，尋找內容深入的書籍，嘗試了解該主題如何演變，以及心理學家怎麼得出如今的診斷結果。

點子三：也許你對社會生活更感興趣，所以人類學中相應的主題可能很吸引你。如果你曾受到種族主義的影響，很多書都會討論膚色的深奧意義。這可能會引導你閱讀生物學方面的科學書籍，或是帶領你接觸社會學的論述。如果你對女性主義感興趣，你可以挖掘和閱讀有關該主題的某些概念，並研究母系社會。

點子四：也許你想嘗試更哲學的想法，你可能對現代世界中普遍存在的倫理和道德，及其背後的原因感興趣。如果是這樣，功利主義是很好的起點。

老實說，建議閱讀的主題不勝枚舉，可以涵蓋商業、科學、社會學以及奈米技術和人工智慧等技術，範圍沒有限制。

如果你注意到的話，即使我們試圖找出某個領域，來縮小主題範圍，每個主題也會帶出更多的領域和學科。歷史與政治有關；心理學與概念史有關，然後又與生物學相關；人類學與社會研究有關；哲學與歷史有關，而這只是眾多關聯中的一小部分。我們周圍的一切是密不可分的，閱讀各個學科和領域的某個主題，更能拓寬我們的視野。

同時，別忘了納入虛構作品。小說、戲劇、詩都是由特定歷史時期的作家創作的，講述的是一群人的不同經歷。這些故事和其他書籍一樣有用，你只需要學會根據你所挑選的主題，選擇合適的書籍。也許是一本來自特定時期的書籍引起了你的興趣；或者它詳細描述了歷史上某個時刻的某個地點；它可能討論我們感興趣的政治話題或社會層面；它或許講述一個角色追求愛情、幸福、財富、名譽或真相的故事，這些都可以成為你的研究主題。

確定一個你感興趣的主題，找幾本討論這個主題的書來閱讀，然後下定決心，透過讀得更多、讀得更好，來獲得啟發。

讓我們以詩意的感覺，說再見

一本在講閱讀的好書，結尾必須摘錄莎士比亞的文句。為什麼選莎士比亞？因為他在戲劇和十四行詩中，研究了普世的主題，討論了人類及其情感。而作為讀者，我們也是有情感的人。你可能以前讀過莎士比亞的作品，而且愛不釋手，也可能從高中開始就害怕莎士比亞，並覺得很難讀懂。

最後，我們想透過閱讀莎士比亞的戲劇《第十二夜》（*Twelfth Night, or What You Will*）中的一個段落，來結束這本關於閱讀的書。[1]無論你是否讀過這齣戲，你應該都能對以下摘錄產生共鳴。如果你曾經心碎過，你一定能體會那種受傷、憤怒和痛苦的感覺。因為那種痛苦，勢必會讓人萌生復仇的念頭，也想過報復的方法。沒有人比莎士比亞更能用語言表達這種感受了。

我們以這種詩意的感覺來結束這本書，這樣你就可以不時地回過頭來重溫這本書，感受其中所表達的情感。因為沒有哪種讀詩方式，比重新閱讀和體驗一首詩還更好了。

來吧，來吧，死神！
讓我躺臥在悲傷的柏樹棺木；
飛吧，飛吧，生命的氣息！

我死於殘忍的美麗姑娘手裡。
我的白屍衣鋪滿杉枝，
哦，準備好！
無人如我這般真誠地
為愛而逝。

別讓花朵，別讓甜美花朵
拋撒於我的黑色棺木上；
別讓朋友，別讓朋友拜訪
我可憐的屍體，我遭棄的屍骨。
別虛擲千百、千百嘆息，
將我掩埋，噢，
讓悲傷真心的戀人永不見我的墳，
在墳前哭泣！

——莎士比亞，《第十二夜》

特別收錄

英文閱讀特訓練習

如果你還是沒有開始主動、批判性地閱讀，這本書也派不上任何用場。而你可以透過以下閱讀練習，來提高閱讀能力。

擴大閱讀視野，增進跨文化解讀力

身為好的讀者，你已經知道如何正確且輕鬆地閱讀文字。如果我們想了解基礎閱讀是如何進行的，就需要回到解讀字母、單字和句子的基礎知識。因此，要想了解自己掌握英文的能力，你可以做的一項練習就是嘗試閱讀中古英文。

著名的亞瑟王和圓桌騎士的故事，就是一個很好的例子。一四八五年，湯瑪斯・馬洛禮（Thomas Malory）寫了名為《亞瑟之死》（*Le Morte D'Arthur*）的原創故事。書中使用的語言為中古英文，第一次接觸時，會覺得這是另一種外語，但它仍然是英文。

嘗試以原汁原味的方式閱讀那些經典書籍，是很好的腦力閱讀練習。在這種活動中，你可以辨別字母和單字。在閱讀之前，讓我們先了解一下閱讀中古英文時，應遵循的幾個原則：[1]

一、中古英文作家用他們說話的方式寫作。當時的文字書寫方式並不一致，字的拼寫上可能會有一些差異。知道這一點後，在閱讀中古英文時，就應該按照拼音來發音，並且在發母音時要靈活。

二、大多數中古英文文學都是為了向觀眾大聲朗讀而寫的，所有文字用聽的會比用看的時候更容易理解，所以請大聲朗讀出來。例如，你會在下面的文字中遇到lodgyng、whan、broder和chirche-yard等詞。它們一開始看起來很奇怪，但如果你嘗試大聲朗讀出它們的發音，很容易就能認出它們是lodging（住宿）、when（何時）、brother（兄弟）和churchyard（教堂的庭院）。

三、所有字母都發音。中古英文單字中沒有不發音的字母，每個字母都會發音，甚至是字尾的e，而它的通常發音與about中的a相似。（例如，單字younge讀作younga）。

四、中古英文作家很少會寫抽象的東西，他們講的都是可以理解的故事。因此，如果你遇到一個不合邏輯的句子，請嘗試將其簡化，並進行邏輯思考。比方說，「he was the hendest man olive」這句話與olive（食用橄欖）毫無關係，作者用o代替a，所以這個字原本指的是alive（意即「活著」，這句話是「他是當今最英俊的男人」）。

現在我們已經掌握了閱讀中古英文的基本原則，讓我們試著閱讀《亞瑟之死》的一部分。[2]這部分故事發生在國王死後，所有人都在尋找新國王來加冕。梅林向大主教建議，聖誕節彌撒結束後，誰能從教堂墓地的石頭上拔出劍，誰就能成為國王。以下段落講的是，年輕的亞瑟從石頭中拔出劍，並因此被選為國王的那一刻。

閱讀下面的部分，理解那些乍看令人不解的詞語，能讓你感受到一股神奇魅力，這就是小時候學習閱讀的魅力。如果遇到不懂的單字也沒關係，先把全部讀一遍，然後記得大聲讀出發音，這樣會比較容易理解。

（按：後文的〈閱讀練習〉由小寫羅馬數字編頁（i、ii、iii……），請翻至i頁，開始練習。）

閱讀練習

場景：那天是元旦，彌撒結束後，所有的貴族都到比武場上參加騎槍比武和競技活動。

（按：*指現代英文。）

1. vpon newe yeersday the barons lete maake a Iustes and a tournament

   * *On New Year's Day, the barons let make a joust and a tournament,*

   元旦那天，貴族舉辦了騎槍比武和競技活動。

2. that alle knyȝtes shat wold Iuste or tourneye there myȝt playe

   * *that all knights that would joust or tourney there might play,*

   所有願意在那裡進行騎槍比武和競技活動的騎士，都可以參加。

3. & all this was ordeyned for to kepe the lordes to gyders & the comyns

   * *and all this was ordained to keep the lords together and the commons.*

而這一切都是為了確保領主與百姓的團結。

4. For the Archebisshop truste

 ＊ *For the Archbishop trusted*

 因為主教相信，

5. that god wold make hym knowe

 ＊ *that God would make him know*

6. that shold wynne the swerd

 ＊ *that should win the sword.*

 (5)、(6)合起來中譯：神要讓贏得這劍的人為眾人所知。

7. So vpon newe yeresday whan

 ＊ *So upon New Year's Day, when*

 所以在元旦的這一天，當……

8. the seruyce was done the barons rode vnto the feld

 ＊ *the service was done, the barons rode unto the field,*

 彌撒已結束，貴族騎馬前往比武場。

9. some to Iuste & som to torney

 ＊ *some to joust and some to tourney,*

 有些人去參加騎槍比武，有些人去參加競技活動。

10. & so it happed that syre Ector that had grete lyuelode aboute london rode vnto the Iustes

 ＊ *and so it happened that Sir Ector, that had great livelihood about London, rode unto the jousts,*

就這樣，在倫敦擁有巨大產業的埃克托爵士騎馬去比武。

11. & with hym rode syr kaynus his sone & yong Arthur that was hys nourisshed broder

   ＊ *and with him rode Sir Kay his son, and young Arthur that was his nourished brother.*

   與他一同騎馬的，還有他的兒子凱爵士，以及凱爵士的義弟——年輕的亞瑟。

12. & syr kay was made knyȝt at al halowmas afore

   ＊ *and Sir Kay was made knight at All Hallowmass afore.*

   凱爵士在去年萬聖節受封為騎士。

13. So as they rode to ye Iustes ward

   ＊ *So as they rode towards the jousts,*

   當他們騎向比武場時，

14. sir kay lost his swerd for he had lefte it at his faders lodging

   ＊ *Sir Kay lost his sword because he had left it at his father's lodging;*

   凱爵士把劍落下了，因為他把劍留在父親的住處。

15. & so he prayd yong Arthur for to ryde for his swerd

   ＊ *and so he asked young Arthur to ride for his sword.*

   於是他請求年輕的亞瑟去取他的劍。

16. I wyll wel said Arthur

* *"I will, indeed," said Arthur,*

「我會的。」亞瑟說道，

17. & rode fast after ye swerd

* *and rode fast after the sword,*

便快速騎馬去取劍。

18. & whan he cam home

* *and when he came home,*

當他回到家時，

19. the lady & al were out to see the Ioustyng

* *the lady and all were out to see the jousting.*

母親和所有人都出去觀看騎槍比武了。

20. thenne was Arthur wroth & saide to hym self

* *Then Arthur was wroth and said to himself,*

亞瑟很懊惱，對自己說道，

21. I will ryde to the chircheyard

* *"I will ride to the churchyard,*

「我會騎馬去教堂的庭院，

22. & take the swerd with me that stycketh in the stone

* *and take the sword with me that sticks in the stone,*

去拿那把插在石頭中的劍。

23. for my broder sir kay shal not be without a swerd this day

* *for my brother Sir Kay shall not be without a sword this day."*

為了我的哥哥凱爵士，他今天不能沒有劍。」

24. so whan he cam to the chircheyard sir Arthur aliȝt & tayed his hors to the style

＊*So when he came to the churchyard, Sir Arthur alighted and tied his horse to the stile.*

當他來到教堂的庭院時，亞瑟就把他的馬拴了起來。

25. & so he wente to the tent

＊*and so he went to the tent,*

然後他走向營帳，

26. & found no knyȝtes there

＊*and found no knights there,*

發現看守的騎士都不在，

27. for they were atte Iustyng & so he handled the swerd by the handels

＊*for they were at the jousting, and so he handled the sword by the handles,*

因為他們正在騎槍比武。所以他握住了劍柄，

28. and liȝtly & fiersly pulled it out of the stone

＊*and easily and fiercely pulled it out of the stone,*

輕鬆且猛一用力地把劍從石頭中拔了出來。

29. & took his hors & rode his way vntyll he came to his broder sir kay

＊ *and took his horse and rode his way until he came to his brother Sir Kay,*

他一路騎著馬，來到哥哥凱爵士那裡，

30. & delyuerd hym the swerd

＊ *and delivered him the sword.*

並把劍交給了他。

31. & as sone as sir kay saw the swerd he wist wel it was the swerd of the stone

＊ *And as soon as Sir Kay saw the sword, he knew well it was the sword of the stone,*

當凱爵士看到劍時，他立刻就知道那是石頭中的劍。

32. & so he rode to his fader syr Ector & said sire loo here is the swerd of the stone

＊ *and so he rode to his father Sir Ector and said, "Sir, look, here is the sword of the stone."*

於是，他騎著馬去找父親埃克托爵士，說道：「父親，您看，這就是石頭上的那把劍。」

33. wherfor I must be kyng of thys land

＊ *therefore I must be king of this land.*

因此，我必須成為這片土地的國王。

34. when syre Ector beheld the swerd

＊ *When Sir Ector beheld the sword,*

當埃克托爵士看到劍時，

35. he retorned ageyne & cam to the chirche

＊ *he returned again and came to the church,*

他掉頭返回了教堂。

36. & there they aliȝte al thre & wente in to the chirche

＊ *and there all three of them alighted and went into the church.*

他們三人下馬，走進教堂。

37. And anon he made sir kay swere vpon a book

＊ *And immediately he made Sir Kay swear upon a book*

接著，他要凱爵士對著《聖經》起誓，

38. How he came to that swerd

＊ *how he came to that sword.*

說出他是如何得到那把劍的。

39. Syr said sir kay by my broder Arthur for he brought it to me

＊ *"Sir," said Sir Kay, "by my brother Arthur, for he brought it to me."*

「父親，」凱爵士說道，「這是弟弟亞瑟交給我的。」

40. how gate ye this swerd said sir Ector to Arthur

＊ *"How did you get this sword?" asked Sir Ector to Arthur.*

「你怎麼得到這把劍的？」埃克托爵士問亞瑟。

41. sir I will telle you when I cam home for my broders swerd

＊ "Sir, I will tell you when I came home for my brother's sword.
「父親，我告訴您，在我回家拿哥哥的劍時，

42. I fond no body at home to delyuer me his swerd
＊ I found nobody at home to deliver to me his sword;
家中沒有人可以把他的劍交給我。

43. And so I thought my broder syr kay shold not be swerdles
＊ and so I thought my brother Sir Kay should not be without a sword,
我想我哥哥凱爵士不應該沒有劍，

44. & so I cam hyder egerly & pulled it out of the stone withoute ony payn found
＊ and so I came here eagerly and pulled it out of the stone without finding any pain."
於是我急切地來到這裡，毫不費力地將劍從石頭中拔出。」

45. ye ony knyȝtes about this swerd seid sir ector
＊ "You, any knights about this sword," said Sir Ector.
「你當時沒看見有騎士守護在這裡嗎？」埃克托爵士說道。

46. Nay said Arthur
＊ "No," said Arthur.
「沒有。」亞瑟說道。

47. Now said sir Ector to Arthur I vnderstāde

＊ *"Now," said Sir Ector to Arthur, "I understand."*

「現在，」艾克托爵士對亞瑟說，「我明白了。」

48. ye must be kynge of this land

＊ *"You must be king of this land."*

你必須成為這片土地的國王。

49. wherfore I

＊ *"Why I,"*

「為什麼是我？」

50. sayd Arthur and for what cause

＊ *asked Arthur, "and for what reason?"*

亞瑟問道，「是什麼原因？」

51. Sire saide Ector

＊ *"Sir," said Ector,*

「亞瑟，」埃克托說道，

52. for god wille haue hit soo for ther shold neuer man haue drawen oute this swerde

＊ *"because God wills it so, for there should never have been a man who could have drawn out this sword,*

「因為上帝如此命定，沒有任何人能夠拔出這把劍。

53. but he that shal be rightwys kyng of this land

＊ *but only he who shall be the rightful king of this land.*

除非他就是這片土地上名正言順的國王。

54. Now lete me see whether ye can putte the swerd ther as it was

＊ *Now let me see if you can put the sword back where it was,*

現在讓我看看你能否把劍放回原處，

55. and pulle hit oute ageyne

＊ *and pull it out again."*

再把它拔出來。」

56. that is no maystry said Arthur

＊ *"That is no difficult task," said Arthur.*

「那並不困難。」亞瑟說道。

57. and soo he put it in the stone

＊ *And so he put it in the stone;*

於是他將它插回石頭內。

58. wherwith alle Sir Ector assayed to pulle oute the swerd and faylled.

＊ *with that, Sir Ector tried to pull out the sword and failed.*

隨即，埃克托爵士試圖拔出劍，但未能成功。

閱讀完解釋後，嘗試再次（大聲）閱讀中古英文的版本。

結語

掌握好工具，讓閱讀成果清晰可見

布蘭登一直暗戀伊莎貝爾，她是一位令人驚豔的年輕女子，她的優雅讓他一見傾心。他們共事大約一年，他一直想鼓起勇氣約她出去，卻始終找不到合適的時機。

有一天，他聽到她在問，「有沒有人週末有空？」她要搬家了，需要有人幫忙打包東西。他們的目光相交，她走向他問：「布蘭登，這個週末你有空嗎？我知道這要求太多了，但我真的需要幫忙，你的好心我永遠不會忘的。」

這是他更能了解她的契機，也是在辦公室之外共度時光的機會。當然啦，他有空！他不顧原本週末的計畫，選擇與她會面，來幫她收拾東西。他們從她的客廳開始整理，在他看來，那裡更像是圖書館。

「這些妳都讀過了嗎？」布蘭登在關上第四個裝滿書的紙箱時問道。

「對啊，大部分都讀過了。下次去書店的時候，我的書單上還有幾本要買的書。」

他站起來，準備再裝一箱，然後開始檢視書名：《包法利夫人》、吳爾芙的《作家日記》（*A Writer's Diary*）、《異鄉人》、《愛努人的歸來》（*The Return of the Ainu: Cultural mobilization and the practice of ethnicity in Japan*）、《分崩離析》（*Things Fall Apart*）、《精神現象學》（*The Phenomenology of Spirit*）。這些書讓他覺得招架不住。

「妳都讀什麼類型的書？」他問道，一邊思考著書名。

「喔，什麼都喜歡！我喜歡了解生活的各個方面，理解每一種文化，也愛沉浸在不同故事的世界裡，穿越時空，思考各種觀點。」她微笑著回答。

「妳都看得懂嗎？大部分書名我都看不懂！」布蘭登困惑地問。

她笑著說：「理解一本書是一個過程。如果你用心，你不僅會理解，還能享受深入探索人類智慧的樂趣！」

他們整天一邊打包書，一邊討論書，這是伊莎貝爾可以談論幾個小時的話題。她告訴布蘭登，她在閱讀時接觸到的新想法，以及閱讀如何為她帶來對世界的新見解。當他們把伊莎貝爾珍貴的藏書裝進箱子時，她向布蘭登解釋了幾本吸引他注意力的書的主旨。

布蘭登回家時路過一家書店，他想起了伊莎貝爾，想著她那堆滿書的房子，想到她與他分享的想法，以及她散發的魅力。他透過櫥窗看著書，對理解書的過程感到好奇。他走進書店，願意嘗試一下。

這本書適合那些願意嘗試閱讀的人；適合那些願意質疑所讀內容並尋找答案的人；適合那些願意與作者交談，並把他們讀的書變成自己的書的人。書屬於作者，同樣也屬於你。

即使在當今世界，我們仍然需要閱讀書籍，如果不充分利用書籍，那真是太浪費了。為此，我們需要成為主動的讀者，知道閱讀可以有不同的目標，從而更好地理解書籍。只要願意學習和嘗試，一本書可以教我們很多東西。另一方面，閱讀能力的提升是循序漸進的，每達到一個新的閱讀層次，你就會變得更加熟練，也能理解得更好。

在你讀過的每一本書中，你都有最後的發言權，你的解讀會給這本書帶來意義。我們已經討論了如何在書頁中實現這些目標，還討論了一些策略，來幫助我們更能記住所閱讀的內容，並建立詞彙量。我們也了解了閱讀不同類型書籍的方法。

現在，你已經讀完這本書，是時候小試身手、以全新的角度閱讀其他作品了。希望你在本書中，找到可以幫助你充分利用閱讀的工具。請繼續閱讀，盡情享受吧！

參考資料

第1章　網路上什麼資訊都有，何必花時間閱讀？

1. Birkerts, S. (2013). Reading in a digital age: Notes on why the novel and the Internet are opposites, and why the latter both undermines the former and makes it more necessary. In Socken, P. (Ed.), *The edge of precipice: Why read literature in the digital age?* (pp. 27-41). McGill-Queen's University Press.
2. Birkerts, S. (2013). Reading in a digital age: Notes on why the novel and the Internet are opposites, and why the latter both undermines the former and makes it more necessary. In Socken, P. (Ed.), *The edge of precipice: Why read literature in the digital age?* (pp. 27-41). McGill-Queen's University Press.
3. Carr, N. (2010). *The shallows: How the internet is changing the way we think, read and remember*. Atlantic Books.

4. Colom, R., Karama, S., Jung, R., & Haier, R. (2010). Human intelligence and brain networks. *Dialogues In Clinical Neuroscience*,12(4), 489-501. https://doi.org/10.31887/dcns.2010.12.4/rcolom

5. Vine, B. (2020, February 19). *What the internet is doing to our brains*. BrainWorld. https://brainworldmagazine.com/what-the-internetis-doing-to-our-brains/#:~:text=Furthermore%20as%20Academic%20Earth%20reports,every%20time%20we%20experience%20it.%E2%80%9D

6. Vine, B. (2020, February 19). *What the internet is doing to our brains*. BrainWorld. https://brainworldmagazine.com/what-the-internetis-doing-to-our-brains/#:~:text=Furthermore%20as%20Academic%20Earth%20reports,every%20time%20we%20experience%20it.%E2%80%9D

7. Oliver, P. (2012). *Succeeding with your literature review: A handbook for students*. Open University Press.

8. Bloom, H. (2001). *How to read and why*. Simon and Schuster.

9. Facione, P. (1990). Critical thinking: A statement of expert consensus for purposes of educational assessment and instruction (The Delphi Report).

10. Wallace, M., & Wray, A. (2011). *Critical reading and writing for postgraduates* (2nd Ed.). Sage Publications.

11. Fisher, A. (2011). *Critical thinking: An introduction* (2nd Ed.). Cambridge University Press.

12. https://naturalnews.com/039461_Bloomberg_NYC_students_illiterate.html

13. https://www.edweek.org/leadership/opinion-how-new-york-city-is-working-to-improve-students-social-emotional-learning/2018/03

第2章　你不是太笨，只是用錯了閱讀方式

1. Perry, W. G. (2001). *Harvard report*. Dartmouth College. https://students.dartmouth.edu/academic-skills/sites/students_academic_skills.prod/files/students_academic_skills/wysiwyg/harvard_report_on_reading.pdf

2. Haussamen, B. (1995). The passive-reading fallacy. *Journal of Reading*, 38(5), 378-381. http://www.jstor.org/stable/40033254

3. Adler, M., & Van Doren, C. (1972). *How to read a book: The classic guide to intelligent reading*. Simon & Schuster.

4. Haussamen, B. (1995). The passive-reading fallacy. *Journal of Reading,* 38(5), 378-381. http://www.jstor.org/stable/40033254

5. Sun, T. (2020). Active versus passive reading: How to read scientific papers?. *National Science Review*, 7(9), 1422-1427. https://doi.org/10.1093/nsr/nwaa130

6. Adler, M., & Van Doren, C. (1972). *How to read a book: The classic guide to intelligent reading*. Simon & Schuster.

7. Nash-Ditzel, S. (2010). Metacognitive reading strategies can improve self-regulation. *Journal Of College Reading And Learning*, 40(2), 45-63. https://doi.org/10.1080/10790195.2010.10850330

8. Sun, T. (2020). Active versus passive reading: How to read scientific papers?. *National Science Review*, 7(9), 1422-1427. https://doi.org/10.1093/nsr/nwaa130

9. Adler, M., & Van Doren, C. (1972). *How to read a book: The classic guide to intelligent reading*. Simon & Schuster.

10. Nash-Ditzel, S. (2010). Metacognitive reading strategies can improve self-regulation. *Journal Of College Reading And Learning*, 40(2), 45-63. https://doi.org/10.1080/10790195.2010.10850330

11. https://www.nationalgeographic.com/magazine/article/why-a-placebo-can-workeven-when-you-know-its-fake

第3章　從硬塞資訊到消化理解，全面提升閱讀力

1. Mikulecky, B., & Jeffries, L. (1996). *More reading power*. Addison-Wesley.
2. Department of Education, UK. (2012). *Research evidence on reading for pleasure*. https://assets.publishing.service.gov.uk/government/uploads/system/uploads/attachment_data/file/284286/reading_for_pleasure.pdf
3. Adler, M., & Van Doren, C. (1972). *How to read a book: The classic guide to intelligent reading*. Simon & Schuster.
4. Adler, M., & Van Doren, C. (1972). *How to read a book: The classic guide to intelligent reading*. Simon & Schuster.
5. Seattle Times staff & news services. (2022). Coronavirus daily news updates, May 19: What to know today about COVID-19 in the Seattle area, Washington state and the world. *The Seattle Times*. https://www.seattletimes.com/seattle-news/health/coronavirus-daily-news-updates-may-19-what-to-know-today-about-covid-19-in-the-

seattle-area-washington-state-and-the-world-2/

6. Department of Education, UK. (2012). *Research evidence on reading for pleasure.* https://assets.publishing.service.gov.uk/government/uploads/system/uploads/attachment_data/file/284286/reading_for_pleasure.pdf
7. Adler, M., & Van Doren, C. (1972). *How to read a book: The classic guide to intelligent reading*. Simon & Schuster.
8. Adler, M., & Van Doren, C. (1972). *How to read a book: The classic guide to intelligent reading*. Simon & Schuster.
9. Wallace, M., & Wray, A. (2011). *Critical reading and writing for postgraduates* (2nd ed.). Sage Publications.
10. Wallace, M., & Wray, A. (2011). *Critical reading and writing for postgraduates* (2nd ed.). Sage Publications.
11. Harvey, S., & Goudvis, A. (2007). *Strategies that work: Teaching comprehension for understanding and engagement* (2nd ed.). Portland: Stenhouse Publishers.
12. Adler, M., & Van Doren, C. (1972). *How to read a book: The classic guide to intelligent reading*. Simon & Schuster.

13. Smith, B.D., & Morris, L. (2007). *Breaking through college reading* (12th ed.). Pearson/Longman

14. https://www.nature.com/articles/s41392-020-00243-2#citeas

第4章　如何讀？如何學？如何讓知識為你所用？

1. Adler, M., & Van Doren, C. (1972). *How to read a book: The classic guide to intelligent reading*. Simon & Schuster.

2. Harvey, S., & Goudvis, A. (2007). *Strategies that work: Teaching comprehension for understanding and engagement* (2nd ed.). Portland: Stenhouse Publishers.

3. Adler, M., & Van Doren, C. (1972). *How to read a book: The classic guide to intelligent reading*. Simon & Schuster.

4. Kotee, T., & Nguyen, C. (2021, July 16). Instruction vs. discovery learning in the business classroom. *AACSB*. https://www.aacsb.edu/insights/articles/2021/07/instruction-vs-discovery-learning-in-thebusiness-classroom#:~:text=Discovery%20learning%20is%20an%20inquiry,%E2%80%94essentially%20%E2%80%9Cinstru-ctionless%E2%80%9D%20learning

5. Adler, M., & Van Doren, C. (1972). *How to read a book: The classic guide to intelligent reading*. Simon & Schuster.
6. Kotee, T., & Nguyen, C. (2021, July 16). Instruction vs. discovery learning in the business classroom. *AACSB*. https://www.aacsb.edu/insights/articles/2021/07/instruction-vs-discovery-learning-in-thebusiness-classroom#:~:text=Discovery%20learning%20is%20an%20inquiry,%E2%80%94essentially%20%E2%80%9Cinstruction-less%E2%80%9D%20learning
7. Adler, M., & Van Doren, C. (1972). *How to read a book: The classic guide to intelligent reading*. Simon & Schuster.
8. Adler, M., & Van Doren, C. (1972). *How to read a book: The classic guide to intelligent reading*. Simon & Schuster.
9. Harvey, S., & Goudvis, A. (2007). *Strategies that work: Teaching comprehension for understanding and engagement* (2nd ed.). Portland: Stenhouse Publishers.
10. Adler, M., & Van Doren, C. (1972). *How to read a book: The classic guide to intelligent reading*. Simon & Schuster.
11. Cuesta College (n.d.). *Levels of Comprehension*. Cuesta College. Retrieved October 6,

2022, from https://www.cuesta.edu/student/resources/ssc/study_guides/reading_comp/302_read_levels.html

12. Duke, N., & Pearson, P. (2002). Effective practices for developing reading comprehension. *What Research Has to Say About Reading Instruction*, 205-242. DOI: 10.1598/0872071774.10

13. Kent State University Writing Commons. *Three levels comprehension guide for active reading*. https://www-s3-live.kent.edu/s3fs-root/s3fspublic/file/Three%20Level%20Comprehension%20Guide%20for%20Active%20Reading.pdf

14. Duke, N., & Pearson, P. (2002). Effective practices for developing reading comprehension. *What Research Has to Say About Reading Instruction*, 205-242. DOI: 10.1598/0872071774.10

15. Cuesta College (n.d.). *Levels of Comprehension*. Cuesta College. Retrieved October 6, 2022, from https://www.cuesta.edu/student/resources/ssc/study_guides/reading_comp/302_read_levels.html

16. Cuesta College (n.d.). *Levels of Comprehension*. Cuesta College. Retrieved October 6, 2022, from https://www.cuesta.edu/student/resources/ssc/study_guides/reading_

comp/302_read_levels.html

17. Kent State University Writing Commons. *Three levels comprehensionguide for active reading*. https://www-s3-live.kent.edu/s3fs-root/s3fspublic/file/Three%20Level%20Comprehension%20Guide%20for%20Active%20Reading.pdf

18. Duke, N., & Pearson, P. (2002). Effective practices for developing reading comprehension. *What Research Has to Say About Reading Instruction*, 205-242. DOI: 10.1598/0872071774.10

19. Cuesta College (n.d.). *Levels of Comprehension*. Cuesta College. Retrieved October 6, 2022, from https://www.cuesta.edu/student/ resources/ssc/study_guides/reading_comp/302_read_levels.html

20. Kent State University Writing Commons. *Three levels comprehension guide for active reading*. https://www-s3-live.kent.edu/s3fs-root/s3fspublic/file/Three%20Level%20Comprehension%20Guide%20for%20Active%20Reading.pdf

21. Cuesta College (n.d.). *Levels of Comprehension*. Cuesta College. Retrieved October 6, 2022, from https://www.cuesta.edu/student/resources/ssc/study_guides/reading_comp/302_read_levels.html

22. Duke, N., & Pearson, P. (2002). Effective practices for developing reading comprehension. *What Research Has to Say About Reading Instruction*, 205-242. DOI: 10.1598/0872071774.10

23. Kent State University Writing Commons. *Three levels comprehension guide for active reading*. https://www-s3-live.kent.edu/s3fs-root/s3fspublic/file/Three%20Level%20Comprehension%20Guide%20for%20Active%20Reading.pdf

24. https://public.wsu.edu/~campbelld/engl494/winterdreams.pdf

25. Wagner-Martin, L. (2016). Writing "naturally in sentences": The joys of reading F. Scott Fitzgerald. *The F. Scott Fitzgerald Review*, 14(1), 215–228. https://doi.org/10.5325/fscotfitzrevi.14.1.0215

第5章　提升閱讀層次，需要哪些條件？

1. Adler, M., & Van Doren, C. (1972). *How to read a book: The classic guide to intelligent reading*. Simon & Schuster.

2. McNamara, D. S. (Ed.). (2007). *Reading comprehension strategies: Theories, interventions, and technologies*. Psychology Press.

3. McNamara, D. S. (Ed.). (2007). *Reading comprehension strategies: Theories, interventions, and technologies*. Psychology Press.
4. Adler, M., & Van Doren, C. (1972). *How to read a book: The classic guide to intelligent reading*. Simon & Schuster.
5. Adler, M., & Van Doren, C. (1972). *How to read a book: The classic guide to intelligent reading*. Simon & Schuster.
6. McNamara, D. S. (Ed.). (2007). *Reading comprehension strategies: Theories, interventions, and technologies*. Psychology Press.
7. McNamara, D. S. (Ed.). (2007). *Reading comprehension strategies: Theories, interventions, and technologies*. Psychology Press.
8. Adler, M., & Van Doren, C. (1972). *How to read a book: The classic guide to intelligent reading*. Simon & Schuster.
9. Adler, M., & Van Doren, C. (1972). *How to read a book: The classic guide to intelligent reading*. Simon & Schuster.
10. Adler, M., & Van Doren, C. (1972). *How to read a book: The classic guide to intelligent reading*. Simon & Schuster.

11. Lewis, N. (1958). *How to read better and faster*. Crowell.

12. Adler, M., & Van Doren, C. (1972). *How to read a book: The classic guide to intelligent reading*. Simon & Schuster.

13. Adler, M., & Van Doren, C. (1972). *How to read a book: The classic guide to intelligent reading*. Simon & Schuster.

14. Wimsatt, W.K., & Beardsley, M. C. (1946). The intentional fallacy. *The Sewanee Review*, 54(3), 468-488.

15. Plato, B. (1977). *Republic. Book I.* Bradda Books.

16. Wimsatt, W.K., & Beardsley, M. C. (1946). The intentional fallacy. *The Sewanee Review*, 54(3), 468-488.

17. Adler, M., & Van Doren, C. (1972). *How to read a book: The classic guide to intelligent reading*. Simon & Schuster.

18. Foucault, M. (2003). *Madness and civilization* (2nd ed.). Routledge.

19. Adler, M., & Van Doren, C. (1972). *How to read a book: The classic guide to intelligent reading*. Simon & Schuster.

20. Adler, M., & Van Doren, C. (1972). *How to read a book: The classic guide to intelligent*

reading. Simon & Schuster.

第6章　成為一流的「解讀者」

1. Nguyen, T. (2013). What blue curtains mean: The extent of a reasonable interpretation. https://ucbcluj.org/2013/03/11/whatblue-curtains-mean-the-extent-of-a-reasonable-interpretation/.
2. Castle, G. (2013). *The literary theory handbook*. Wiley Blackwell.
3. Castle, G. (2013). *The literary theory handbook*. Wiley Blackwell.
4. Castle, G. (2013). *The literary theory handbook*. Wiley Blackwell.
5. Montgomery, M., Durant, A., Furniss, T., & Mills, S. (2006). *Ways of reading* (3rd ed.). Routledge.
6. Nguyen, T. (2013). What blue curtains mean: The extent of a reasonable interpretation. https://ucbcluj.org/2013/03/11/whatblue-curtains-mean-the-extent-of-a-reasonable-interpretation/.
7. Van Teslaar, J. S. (1912). Psychoanalysis: A review of current literature. *The American Journal of Psychology*, 23(2), 309–327. https://doi.org/10.2307/1412845

8. Lidz, T. (1975). *Hamlet's enemy: Madness and myth in Hamlet*. Basic Books.
9. Lewis, R. (2020). *Hamlet and the vision of darkness*. Princeton University Press.
10. Montgomery, M., Durant, A., Furniss, T., & Mills, S. (2006). *Ways of reading* (3rd ed.). Routledge.
11. Nguyen, T. (2013). What blue curtains mean: The extent of a reasonable interpretation. https://ucbcluj.org/2013/03/11/whatblue-curtains-mean-the-extent-of-a-reasonable-interpretation/.
12. Montgomery, M., Durant, A., Furniss, T., & Mills, S. (2006). *Ways of reading* (3rd ed.). Routledge.
13. Montgomery, M., Durant, A., Furniss, T., & Mills, S. (2006). *Ways of reading* (3rd ed.). Routledge.
14. Montgomery, M., Durant, A., Furniss, T., & Mills, S. (2006). *Ways of reading* (3rd ed.). Routledge.
15. Brantlinger, P. (2007). Kipling's "The white man's burden" and its afterlives. *English Literature in Transition*, 1880-1920 50(2), 172-191. DOI:10.1353/elt.2007.0017.
16. https://shec.ashp.cuny.edu/items/show/505

第7章　「輸出」，是最強的記憶術

1. Ranpura, A. (2013, March 12). *How we remember and why we forget*. Brain Connection. https://brainconnection.brainhq.com/2013/03/12/how-we-remember-and-why-we-forget/
2. Kindleberger, C. P. (1986). *The world in depression, 1929-1939* (2nd ed.). University of California Press.
3. Ranpura, A. (2013, March 12). *How we remember and why we forget*. Brain Connection. https://brainconnection.brainhq.com/2013/03/12/how-we-remember-and-why-we-forget/
4. Wong, L. (2003). *Essential study skills*. Houghton Mifflin Co.
5. Wong, L. (2003). *Essential study skills*. Houghton Mifflin Co.
6. Kindleberger, C. P. (1986). *The world in depression, 1929-1939* (2nd ed.). University of California Press.
7. Chesla, E. (2000). *Read better, remember more* (2nd ed.). Learning Express.
8. Chesla, E. (2000). *Read better, remember more* (2nd ed.). Learning Express.

9. McKay, B., McKay, K. (2021, May 1). *The best way to retain what you read.* The Art of Manliness. https://www.artofmanliness.com/living/reading/the-best-way-to-retain-what-you-read/

10. Nast, J. (2006). *Idea mapping: How to access your hidden brain power, learn faster, remember more, and achieve success in business*. John Wiley & Sons.

11. Kudelic, R., Konecki, M., & Maleković, M. (2011). Mind map generator software model with text mining algorithm. *Proceedings of the International Conference on Information Technology Interfaces, ITI.* DOI:10.13140/RG.2.1.1455.5601

12. Nast, J. (2006). *Idea mapping: How to access your hidden brain power, learn faster, remember more, and achieve success in business*. John Wiley & Sons.

13. Kudelic, R., Konecki, M., & Maleković, M. (2011). Mind map generator software model with text mining algorithm. *Proceedings of the International Conference on Information Technology Interfaces, ITI.* DOI:10.13140/RG.2.1.1455.5601

14. Serrat, O. (2009). *Drawing mind maps*. Asian Development Bank. https://www.think-asia.org/bitstream/handle/11540/2738/drawing-mind-maps.pdf

15. Nast, J. (2006). *Idea mapping: How to access your hidden brain power, learn faster,*

remember more, and achieve success in business. John Wiley & Sons.

16. https://books.google.com.lb/books?hl=en&lr=&id=BprUZfxswH4C&oi=fnd&pg=PR11&dq=depression&ots=cjjiZcLRWU&sig=TasKpFEHReDdwgBuR_xlxvM5kiU&redir_esc=y#v=onepage&q&f=false

第8章　用閱讀，鍛鍊你的「詞彙力」

1. Paris, S. (2005). Reinterpreting the development of reading skills. *Reading Research Quarterly*, 40 (2), 184-202. https://doi.org/10.1598/RRQ.40.2.3

2. State of Victoria, Department of Education and Training. (2021). *Literacy teaching toolkit: Vocabulary*. State of Victoria. https://www. education.vic.gov.au/school/teachers/teachingresources/discipline/english/literacy/readingviewing/Pages/litfocusvocab.aspx#:~:text=Focussing%20on%20vocabulary%20is%20useful,%2C%20comprehension%2C%20and%20also%20fluency

3. State of Victoria, Department of Education and Training. (2021).*Literacy teaching toolkit: Vocabulary*. State of Victoria. https://www. education.vic.gov.au/school/teachers/teachingresources/discipline/english/literacy/readingviewing/Pages/litfocusvocab.

aspx#:~:text=Focussing%20on%20vocabulary%20is%20useful,%2C%20comprehension%2C%20and%20also%20fluency

4. Hughes, G. (2000). *A history of English words*. Wiley-Blackwell.
5. Hughes, G. (2000). *A history of English words*. Wiley-Blackwell.
6. State of Victoria, Department of Education and Training. (2021). *Literacy teaching toolkit: Vocabulary*. State of Victoria. https://www. education.vic.gov.au/school/teachers/teachingresources/discipline/english/literacy/readingviewing/Pages/litfocusvocab.aspx#:~:text=Focussing%20on%20vocabulary%20is%20useful,%2C%20comprehension%2C%20and%20also%20fluency
7. Jenkins, J. R., Stein, M. L., & Wysocki, K. (1984). Learning Vocabulary Through Reading. *American Educational Research Journal*, 21(4), 767–787. https://doi.org/10.3102/00028312021004767
8. Jenkins, J. R., Stein, M. L., & Wysocki, K. (1984). Learning Vocabulary Through Reading. *American Educational Research Journal*, 21(4), 767–787. https://doi.org/10.3102/00028312021004767
9. Nagy, W. E., & Anderson, R. C. (1982). *The numbers of words in printed school En-*

glish (Tech. Rep. No. 253). Champaign: University of Illinois, Center for the Study of Reading. https://core.ac.uk/download/pdf/4826231.pdf

10. Carter, R., & McCarthy, M. (2014). *Vocabulary and language teaching*. Routledge.
11. Adams, S. J. (1982). Scripts and the recognition of unfamiliar vocabulary: Enhancing second language reading skills. *The Modern Language Journal*, 66(2), 155–159. https://doi.org/10.2307/326384
12. Carter, R., & McCarthy, M. (2014). *Vocabulary and language teaching*. Routledge.
13. Adams, S. J. (1982). Scripts and the recognition of unfamiliar vocabulary: Enhancing second language reading skills. *The Modern Language Journal*, 66(2), 155–159. https://doi.org/10.2307/326384
14. Carter, R., & McCarthy, M. (2014). *Vocabulary and language teaching*. Routledge.
15. Carter, R., & McCarthy, M. (2014). *Vocabulary and language teaching*. Routledge.
16. Carter, R., & McCarthy, M. (2014). *Vocabulary and language teaching*. Routledge.
17. Prince, P. (1996). Second language vocabulary learning: The role of context versus translations as a function of proficiency. *The Modern Language Journal*, 80(4), 478-493. https://doi.org/10.2307/329727

18. https://books.google.com.lb/books?id=ZkThXFvOKZYC&printsec=frontcover&dq=thomas+hardy+return+of+the+native&hl=en&sa=X&ved=2ahUKEwjE7q7Ixar5AhUIhc4BHdhDD9kQuwV6BAgIEAc#v=onepage&q&f=false

第9章　原來，不同類型的書，要用不同方式來讀！

1. A&M-Central Texas University Library. (2022, January 13). *Children's genre list for teacher education: Nonfiction expository*. https://tamuct.libguides.com/c.php?g=439801&p=3927342#:~:text=Non%2DFiction%20Expository%20%E2%80%93%20These%20are,works%2C%20why%20-something%20is%20important
2. Adler, M., & Van Doren, C. (1972). *How to read a book: The classic guide to intelligent reading*. Simon & Schuster.
3. Prychitko, D. L. (2004, September 6). *The nature and significance of Marx's: Capital: A critique of political economy*. Econlib. https://www. econlib.org/library/Columns/y2004/PrychitkoMarx.html
4. Dobson, T., Michura, P., Ruecker, S., Brown, M., & Rodriguez, O. (2011). Interactive Visualizations of Plot in Fiction. *Visible Language*, 45(3).

5. Wasow, B. (2021, May 23). *Karl Marx and Milton Friedman: What they got right*. The Globalist. https://www.theglobalist.com/karl-marxand-milton-friedman-capitalism-communism-ideologies/

6. Adler, M., & Van Doren, C. (1972). *How to read a book: The classic guide to intelligent reading*. Simon & Schuster.

7. Adler, M., & Van Doren, C. (1972). *How to read a book: The classic guide to intelligent reading*. Simon & Schuster.

8. Dobson, T., Michura, P., Ruecker, S., Brown, M., & Rodriguez, O. (2011). Interactive Visualizations of Plot in Fiction. *Visible Language*, 45(3).

9. Adler, M., & Van Doren, C. (1972). *How to read a book: The classic guide to intelligent reading*. Simon & Schuster.

10. Franco, D.J. (2006). What we about when we talk about Beloved. *MFS Modern Fiction Studies*, 52(2), 415-439. https://doi.org/10.1353/mfs.2006.0045

11. Adler, M., & Van Doren, C. (1972). *How to read a book: The classic guide to intelligent reading*. Simon & Schuster.

12. Adler, M., & Van Doren, C. (1972). *How to read a book: The classic guide to intelligent*

reading. Simon & Schuster.

13. Arnold, M. (2014). *Essays in criticism: The study of poetry* (S. S. Sheridan, Ed.). Literary Licensing. (Original work published 1896).

14. Adler, M., & Van Doren, C. (1972). *How to read a book: The classic guide to intelligent reading*. Simon & Schuster.

15. Adler, M., & Van Doren, C. (1972). *How to read a book: The classic guide to intelligent reading*. Simon & Schuster.

16. Goldberg, T., & Savenije, G. M. (2018). Teaching controversial historical issues. *The Wiley international handbook of history teaching and learning*, 503-526. https://doi.org/10.1002/9781119100812.ch19

17. Adler, M., & Van Doren, C. (1972). *How to read a book: The classic guide to intelligent reading*. Simon & Schuster.

18. Adler, M., & Van Doren, C. (1972). *How to read a book: The classic guide to intelligent reading*. Simon & Schuster.

19. Groseclose, T., & Milyo, J. (2005). A measure of media bias. *The Quarterly Journal of Economics*, 120(4), 1191-1237. http://www.jstor.org/stable/25098770

20. Adler, M., & Van Doren, C. (1972). *How to read a book: The classic guide to intelligent reading*. Simon & Schuster.
21. Repko, A.F, Szostak R., & Buchberger, M. P. (2016). *Introduction to interdisciplinary studies* (2nd Ed.). Sage.
22. Adler, M., & Van Doren, C. (1972). *How to read a book: The classic guide to intelligent reading*. Simon & Schuster.
23. Helmenstine, A. M. (2020, February 18). *Six steps of the scientific method*. ThoughtCo. https://www.thoughtco.com/steps-of-thescientific-method-p2-606045
24. Whitehead, A. N. (2017). *An introduction to mathematics*. Courier Dover Publications.
25. Adler, M., & Van Doren, C. (1972). *How to read a book: The classic guide to intelligent reading*. Simon & Schuster.
26. Whitehead, A. N. (2017). *An introduction to mathematics*. Courier Dover Publications.
27. Adler, M., & Van Doren, C. (1972). *How to read a book: The classic guide to intelligent reading*. Simon & Schuster.
28. Adler, M., & Van Doren, C. (1972). *How to read a book: The classic guide to intelligent reading*. Simon & Schuster.

29. Adler, M., & Van Doren, C. (1972). *How to read a book: The classic guide to intelligent reading*. Simon & Schuster.

30. Fassio, A. (2017, February 28). How to read philosophy (a step-bystep guide for confused students!). *The University of Edinburgh, School of Philosophy, Psychology, and Language Sciences: my PPLS Journey, Student Blog*. https://www.blogs.ppls.ed.ac.uk/2017/02/28/readphilosophy-step-step-guide-confused-students/

31. Adler, M., & Van Doren, C. (1972). *How to read a book: The classic guide to intelligent reading*. Simon & Schuster.

32. Chignell, A., & Pereboom, D. (Fall 2020 Edition). Natural theology and natural religion. In E.N. Zalta (Ed.), *The Stanford Encyclopedia of Philosophy*. Metaphysics Research Lab, Stanford University https://plato.stanford.edu/archives/fall2020/entries/natural-theology/

33. Adler, M., & Van Doren, C. (1972). *How to read a book: The classic guide to intelligent reading*. Simon & Schuster.

34. Adler, M., & Van Doren, C. (1972). *How to read a book: The classic guide to intelligent reading*. Simon & Schuster.

第10章　方法學會了，閱讀就輕鬆了

1. Shakespeare, W. (1908). *Twelfth night, or what you will*. Cassell & Company.

特別收錄　英文閱讀特訓練習

1. Cynthia Turner Camp, department of English, Franklin College of Arts & Sciences (n.d.). *Guide to Reading Middle English*. University of Georgia. Retrieved October 6, 2022, from https://faculty.franklin.uga.edu/ctcamp/resources/reading-middle-english
2. Malory, T. (1889). *Le Morte D'Arthur* (W. Caxton, & H. O. Sommer, Eds.). London: David Nutt. (Original work published 1485). https://quod.lib.umich.edu/cgi/t/text/text-idx?c=cme;idno=MaloryWks2

高效閱讀全攻略

The Intelligent Reader's Guide To Reading: How To Read A Book The Right Way For Stronger Comprehension And Better Recall

作　　者　Thinknetic
譯　　者　黃庭敏
主　　編　呂佳昀

總 編 輯　李映慧
執 行 長　陳旭華（steve@bookrep.com.tw）

出　　版　大牌出版 / 遠足文化事業股份有限公司
發　　行　遠足文化事業股份有限公司（讀書共和國出版集團）
地　　址　23141 新北市新店區民權路 108-2 號 9 樓
電　　話　+886-2-2218-1417
郵撥帳號　19504465 遠足文化事業股份有限公司

封面設計　FE 設計
排　　版　新鑫電腦排版工作室
印　　製　博創印藝文化事業有限公司
法律顧問　華洋法律事務所　蘇文生律師

定　　價　450 元
初　　版　2024 年 7 月

電子書 E-ISBN
9786267491317（EPUB）
9786267491300（PDF）

國家圖書館出版品預行編目資料

高效閱讀全攻略 /Thinknetic 著 ; 黃庭敏 譯 . -- 初版 . -- 新北市 :
大牌出版 , 遠足文化發行 , 2024.07
336 面 ; 14.8×21 公分
譯自 : The Intelligent Reader's Guide To Reading: How To Read A Book
The Right Way For Stronger Comprehension And Better Recall
ISBN 978-626-7491-32-4（平裝）
1. CST: 閱讀　2. CST: 閱讀指導

019.1　　113008405